インディラ・トゥーヴェニン＋ロマン・ルロン［著］ Indira Thouvenin＋Romain Lelong
塚田学［日本版監修］ Manabu Tsukada | 水野拓宏［用語監修］ Takuhiro Mizuno | 大塚宏子［訳］ Hiroko Otsuka

La réalité virtuelle démystifiée

Principe – Interfaces – Applications – Perspectives

［ビジュアル版］

バーチャル・リアリティ百科

進化するVRの現在と可能性

［ビジュアル版］

バーチャル・リアリティ百科

進化するVRの現在と可能性

［目次］

第1章

バーチャル・リアリティの大いなる発展

バーチャル世界とは何か？

第

章

機器とインターフェース

第

章

バーチャル・リアリティはわれわれの知覚にどのように適応するのか?

バーチャル・リアリティの個人やビジネスでの利用

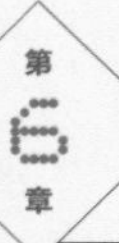

バーチャル世界をつくるためのミニガイド

第7章 そして明日は、複合現実?

謝辞

まず私の学生たち、博士号取得準備者、コンピエーニュ工科大学(UTC：Université de Technologie de Compiègne)バーチャル・リアリティコースの学生・技師、UXD修士課程の学生、とくにUTCのVRプラットフォームの作成に多大なご助力をいただいたジェローム・オリヴ氏、ルヴィアテック社のクリエーターであるメディ・スバウニ氏とロマン・ルロン氏に、感謝を申し上げたい。テクノロジーに関するこの大計画のあらゆる瞬間を彼らと共有できたことは、何と幸せなことだっただろう！　UTCの同僚たち、パートナーとなってくれた大学や研究センターの方々、私たちを信頼してくださった企業経営者、その存在がなければ前に進めなかったであろうピカルディー地域圏(現オー＝ド＝フランス地域圏)の方々にも、御礼を申し上げる。

本書の執筆はイレーヌ・ジュエ＝ソレル氏のダンスホールから始まった。とくに芸術的な身振りとデジタルが融合し始めたころにニューヨークでマース・カニンガム氏の教えを受けた彼女は、協力的で、刺激を与えてくれた。私を励ましてくれたすべての方々、存在してくださってありがとう。複合現実の小難しい話の代わりに私にイチゴケーキをくれるはずの編集者のアントワーヌ・ドゥルアン氏は、本書の教育的な質について非常に配慮してくださった。その忍耐と信頼感に、御礼を申し上げる。そして最後に、娘のシャリニとスニタ、そして彼女たちの父親には、ここ何年もの間、焦げた料理と空の冷蔵庫に耐えてくれたことに感謝している。彼らは私が楽しげにバーチャル・リアリティの仕事をするのに閉口したこともあろうが、そんなときにも我慢してくれた。私は、もっと知りたい、そしてこの分野に身を投じたいという願いを、心から読者に伝えたいと思っている。

インディラ・トゥーヴェニン

第一に、インディラに感謝したい。彼女は15年前に私のバーチャル・リアリティに対する情熱を後押しし、現在でも私を信頼し、本書の執筆に加わる機会を与えて長年の夢を実現させてくれた。難しい問題や執筆方法について私を助けてくれた同僚やプロジェクト仲間。私と人生をともにし、執筆の夜を支えてくれたクリステル。その無垢な目で私が編集者の期待に応えられるようにしてくれた、秘密の読者スカーレット。そしてもちろん、技術と科学の普及を目指す私の初の大仕事に付き添ってくれた、本書の編集者アントワーヌ・ドゥルアン氏。この経験の間じゅう私を包んでくださった、そうしたすべての方々に御礼を申し上げる。これは私にとって一つの達成であると同時に、新たな展望の始まりでもある。

ロマン・ルロン

前書き

われわれの煙はあなたの目から天を隠すかもしれない
やがては消え、星々は再び輝くだろう
なぜなら、われわれはこの力と重さと大きさのすべてをもってしても
あなたの頭脳から生まれた子ども以上の何ものでもないのだから

——ラドヤード・キプリング『機械の秘密』

皆さんは専用のヘッドセットを使って、バーチャル・リアリティの没入感をすでに試したことがあるだろうか？　ヘッドセットはほんのここ数年で多くの人々にとって余暇や仕事、コミュニケーションのツールとなったが、それほど長い間、単なるおもちゃとみなされていたわけではない。実際、現代社会では、バーチャル・リアリティの持つ影響力を無視することはできない。この分野はあらゆる領域で活用され、目覚ましい飛躍を遂げている。

►本書の目的

われわれはバーチャル環境について何年も研究する間に、数多くの質問を受けてきた。バーチャル・リアリティって何？　どのように利用するの？　それは危険なもの？　現実世界とどうつながっているの？　装置はいくらぐらいするの？　等々。本書はそうした疑問を受けてのものである。

バーチャル・リアリティの起源、機能、アプリケーション、限

界や展望を本書に示すことによって、われわれはバーチャル・リアリティのある程度完全な全体像を打ち立てたいと考えている。没入やインタラクション(相互作用)のメカニズムだけでなく、人間の知覚の原理、またバーチャル環境内で人間が直感的に、自然にインタラクションをするために重要な認知の面についても取り上げる。

本書では、「没入」という技術でつくることのできる豊かなコンテンツの概要を示そう。バーチャル・リアリティは大衆化し、あらゆる分野のメディアになった。軍事、産業、健康、訓練、文学・芸術の世界、ジャーナリズム……。経済的視点から見ても社会的視点から見ても、これは重要なテーマである。

►本書の構成

本書は7章から成る。

- ▶第1章では、1960年代から現代までのバーチャル・リアリティの主要な段階について、詳細に説明する。
- ▶第2章では、バーチャル・リアリティの構成要素について紹介する。背景、オブジェクト、シーン、アニメーション(動き)、インタラクション等である。
- ▶第3章では、バーチャル・リアリティで使用される機器とインターフェースについて記す。
- ▶第4章では、バーチャル・リアリティが人間の知覚の原則に基づいて、いかにして人間の感覚に適応するのかを説明する。
- ▶第5章では、バーチャル・リアリティの主要分野のアプリケーションについて、専門的なものから個人用のものまで取り上げる。
- ▶第6章では、読者と共にバーチャル・リアリティのアプリケーションをつくっていく。
- ▶最後の第7章では、バーチャル・リアリティの現在及び今後の動向と、その発展にブレーキをかけるものについて記す。

►対象となる読者

本書はバーチャル・リアリティの世界へのアプローチのための本であり、あえて独立した章で構成しており、読者が初心者か、すでにこの分野に慣れ親しんでいるかによって、さまざまなレベルで読むことができる。バーチャル・リアリティでマーケティング計画を改善できないかと考える会社経営者、自分の教育方法を変えたい職業訓練官、拡張現実の利点を理解したい医師、この技術の現状について情報を得たい投資家、この分野を専門にすることを目指す高校生や大学生、その他新しいものの魅力にひかれ関心を持つあらゆる読者が、それぞれ自分の考察に有益な要素を見つけ出してくれることを期待している。

►著者について

インディラ・トゥーヴェニンはバーチャル・リアリティの専門家である。エンジニアかつ生物物理学博士で、20年前から技術者やUTC（コンピエーニュ工科大学）の修士課程レベルに、バーチャル・リアリティについて教えている。並行して、CNRS（Centre national de la recherche scientifique／フランス国立科学研究センター）とユディアジック研究所の共同研究ユニットでの研究活動も続け、バーチャル環境で適応・発展が可能なインタラクションについて研究している。これは言い換えれば、利用者の関心や意図を検知して、インタラクションの最中に利用者を導き助けるシステムの能力である。さらにAFRV（Association française de réalité virtuelle, augmentée, mixte et d'interaction3D／フランスバーチャル・リアリティ・拡張・複合現実・3Dインタラクション協会）の会長を4年にわたって務めており、ルヴィアテック社の共同創立者でもある。ルヴィアテック社は、バーチャル・リアリティを使った職業訓練や、ビジネス上の決定支援のリーダー的会社の一つである。彼女はまた、科学出版物やバーチャル・リアリティ普及のための出版物も数多く著している。

ロマン・ルロンはルヴィアテック社の共同創立者のひとりで、ゼネラルディレクターである。数年間独学で3Dの前計算やアマチュアのビデオゲーム制作をした後、UTCのコンピュータ技師研修を受け、次いで修士課程で映像と音の関係について取り組んだ。2008年にルヴィアテック社を創立して以降はバーチャル・リアリティの産業用プロジェクトを数多く実現し、大学や研究センターの協力を得て、また自ら海軍兵学校の教育に携わって、常に進化を続けるこの分野の最新技術の成果を導入している。現在では彼のツールボックスは、拡張現実、人工知能、3D印刷によってさらに充実したものになっている。

第1章

バーチャル・リアリティの大いなる発展

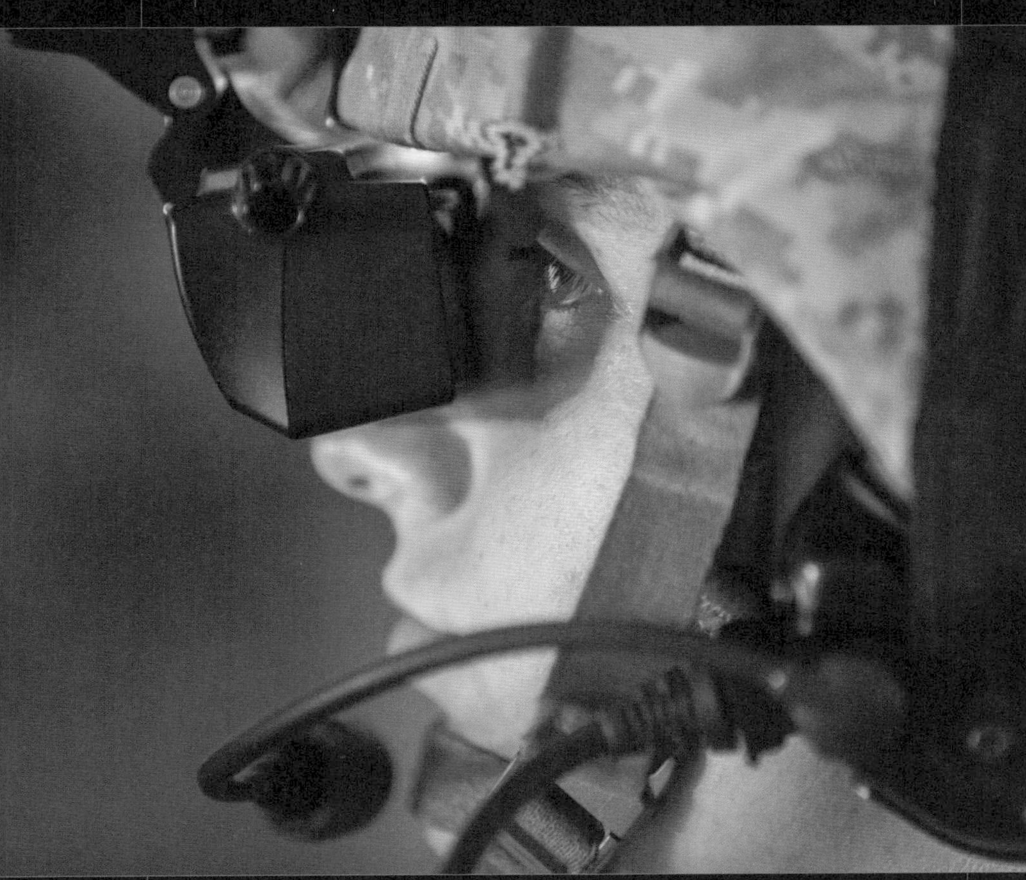

バーチャル・リアリティ（英：virtual reality 仏：réalité virtuelle）[VRと略すことも多い]は、デジタル的につくり出した環境、すなわち現実を模した世界や想像上の世界を、人間に体験させることができるものである。VRは感覚[視覚、聴覚、触覚……]を人工的に生み出すことによって、そこに没入したような強い感覚を与えるとともに、インタラクションを可能にする。

多くの面でまだ未来のテクノロジーのように思われているVRであるが、その起源は1960年代とみることができる。VRはコンピュータやビデオゲーム、航空技術、航空宇宙産業のみならず、サイエンスフィクション文学や音楽とも固く結びついているが、スタート当時からは大きく変化してきた。それは、VRの可能性を真剣にとらえずにいた産業界や研究機構ともたびたび闘わざるをえなかったパイオニアたちのおかげである。

初期のVRシステム

バーチャル・リアリティが生まれたのはいつなのか正確に位置づけることは難しいが、プラトンまで遡ることさえできるかもしれない。プラトンは『国家』第7巻[28ページ参照]の洞窟の比喩の中で、それに近い概念を述べているのである。とはいえVRの揺籃期は1960年代であると言えよう。とくにアメリカの映像技師モートン・ハイリグは1962年に、複数の感覚を提供して見る者に没入体験をさせる「センソラマ」という機器を紹介した。アーケードゲーム機に似たこの完全に機械的な装置は、ステレオ式スピーカーの音とともに映像を映し出し、座席を揺らし、香りを放つものであった。

バーチャル・リアリティのもうひとりの先駆者はアメリカの情報科学者アイバン・サザランドで、彼は1965年に発表した革命的な記事『究極のディスプレイ』で、ユーザーをバーチャル環境に

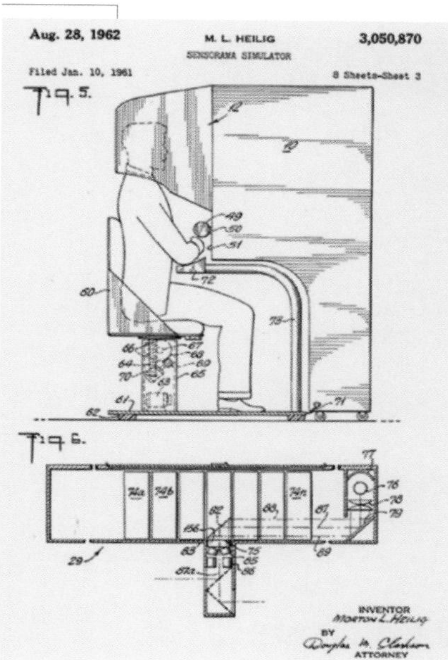

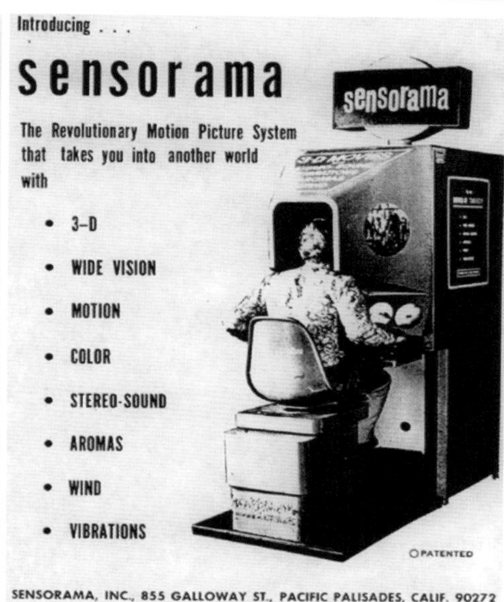

…▶モートン・ハイリグのセンソラマ[1962年]。商品化はされなかった。

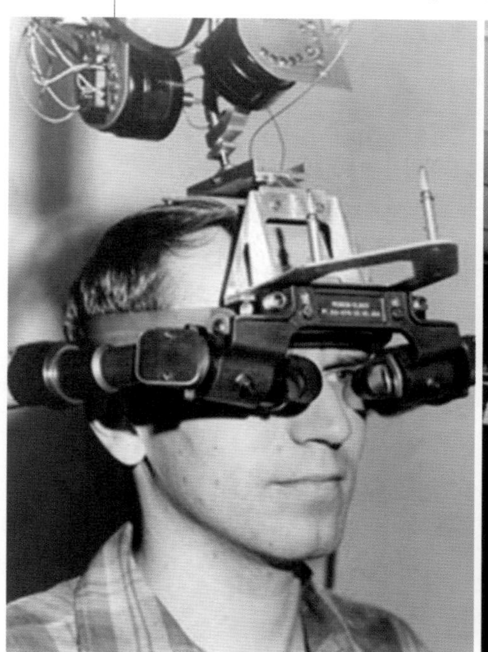

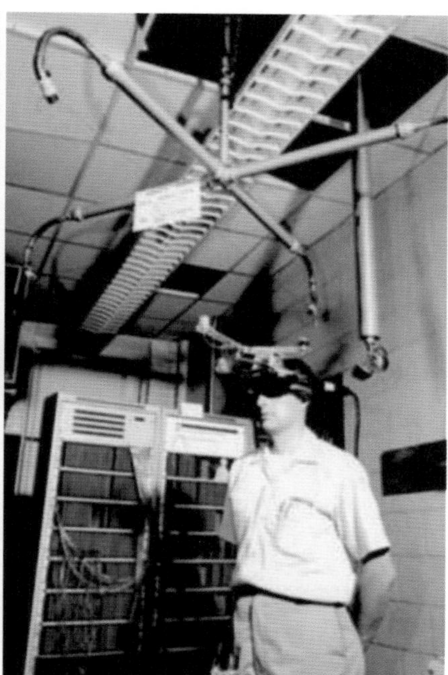

…▶1968年にアイバン・サザランドが発明した初期のVR用ヘッドセット。

►ヘッドセットに関するアイバン・サザランドによる発表の抜粋

これは1968年にアメリカのソルトレイクシティで行われたフォール・ジョイント・コンピュータ会議でアイバン・サザランドが発表した、ヘッドセットに関する記事[★01]の結論部分の抜粋である。「私はヘッドマウントディスプレイの仕事を始めたときに、これほどの努力が必要になるとは思いもしなかった。関係した多くの人々の情熱がなければ、この計画は何度も投げ出されていただろう」

置く頭部搭載型ディスプレイ［HMD：ヘッドマウントディスプレイ］について記した。ユタ大学の学生の協力を得て、彼はこの発明品を1968年に具体化し、二つのモデルをつくった。そのうちの一つである「ダモクレスの剣」と呼ばれるものは非常に重いため、天井から吊すアームで固定した。顔の動きに従う試作品は、ごく初期のVR用ヘッドセットの一つとみなしうる。

これと並行して、アメリカのビデオ・アーティスト、マイロン・クルーガーは、作曲家ジョン・ケージが行った不確定性の音楽に関する大衆参加の実験の影響を受け、1969年から仲間のアーティストや技術者と協力して、アート作品をつくった。それはセンサー付きの床と図形処理装置、ビデオカメラから成るシステムであり、見る人の動きや身振りに反応するというものであった。

マイロン・クルーガーが考えたのは、コンピュータがリアルタイムで介在する知的空間の「創作者」として、アーチストが身振りによって直感的にシステムとインタラクションができるというアイデアであった。クルーガーはこうして環境を「創作」した。1970年の「ビデオプレイス」がそれで、これはコンピュータが人々の身振りを解釈して反応し、さらにはその行動を先取りさえするものであった。身振りによるインタラクションの先駆けであ

★01…http://cacs.usc.education/cs653/Sutherland-HeadmountedDisplay-AFIPS68.pdf

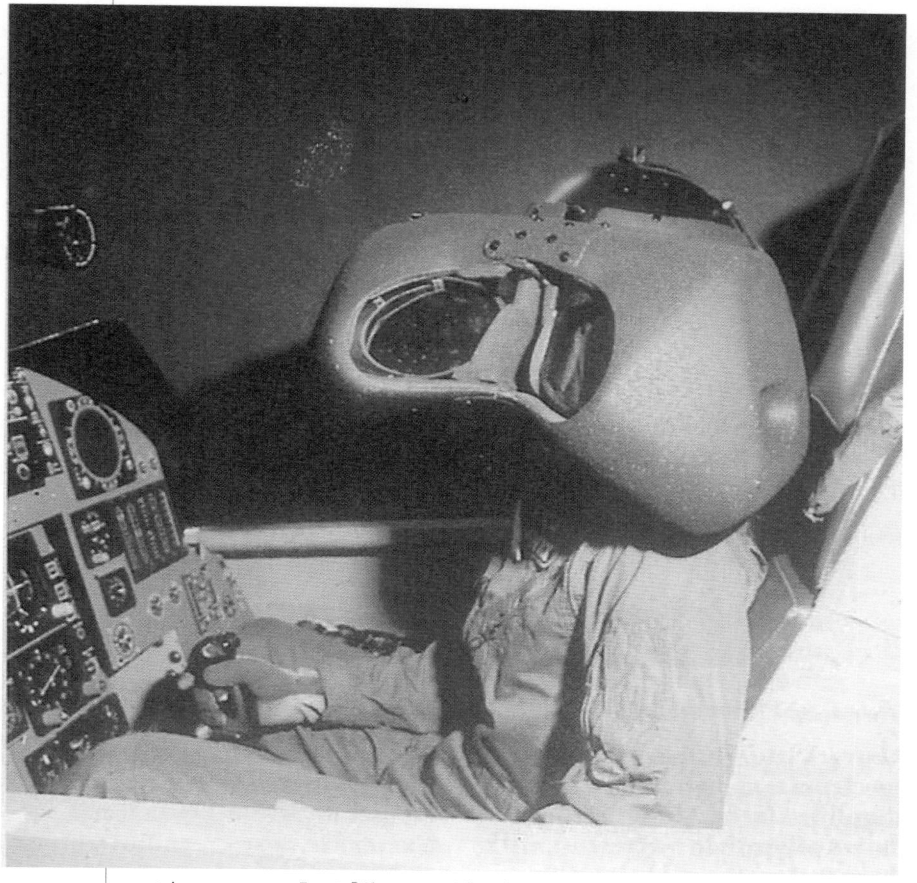

…▶トーマス・ファーネスの「ダース・ベイダー」［1982年］

るこのコンセプトは後の作品でも研究され、利用者の全身が関わるバーチャル・リアリティにとって非常に重要なものであることが明らかになっていく。

先見の明があった人物をもうひとり挙げておこう。アメリカ空軍のエンジニア、トーマス・ファーネスである。彼は1970年代から、飛行機のコックピット用のバーチャル環境に関する研究をリードした。1982年にはブラウン管をベースにしたヘッドセットVACCS［Visually Coupled Airborne Systems Simulator／視覚連結空挺システムシミュレーター］の試作品を開発し、映画『スター・ウォーズ』の登場人物のひとりと似ていることから「ダース・ベイダー」と名付けた。当時米軍飛行機の技術は大きく進展し新たな能力が求められていたことから、このヘッドセットは戦闘機のパイロットを補佐することを目的としていた。防衛分野ではこうしてごく早い時期から、模擬飛行装置にリアルタイム3D計算やシミュレーション、インタラクションを組み込んでいった。

同じ時期にアタリ研究所では、トーマス・ジンマーマンが初のデータ手袋、「データグローブ(DataGlove)」を開発した。この発明品は「バーチャル・リアリティ」という表現の生みの親ジャロン・ラニアーの助力で1984年に商品化されたが、世には受け入れられなかった。

しかしこのグローブはVIVED［Virtual Visual Environment Display／バーチャル環境ディスプレイ］の枠内で利用されていく。これはNASAのマイケル・マグレビーとジム・ハンフリーズが率いる全く新しいプログラムで、目的は宇宙飛行士のための新たなデータ表示装置を開発することであった。実際、2人の科学者はアタリにいたスコット・フィッシャーの助力を得て、宇宙でのミッションに備えるためディスプレイ用ヘッドセットをその装置に接続した。

►『マトリックス』のもとになった本

「サイバースペース」という言葉の生みの親であるアメリカの作家ウイリアム・ギブスンは、1984年に初のSF小説『ニューロマンサー』を発表した。そこに描かれる完全な模造世界、すなわち「バーチャル・リアリティ」は非常に説得力のあるもので、実生活はもはや存在理由がないほどである。人間は完全なバーチャル世界で生きるが、その身体は機械のおかげで機能し続ける。この前衛的な作品は、1999年の映画『マトリックス』に着想を与えた。

NASAエイムズ研究センター内では、スコット・フィッシャーは1985年から1990年の間にVIVEDのコンセプトから離れ、VIEW［Virtual Environment Workstation／バーチャル環境ワークステーション］と呼ばれる、バーチャル環境のための完全なワークステーションの立案に向かった。このシステムはテレプレゼンス（遠隔臨場感）の原則を適用したもので、惑星に送ったロボットを遠隔操作するためのインターフェースとして、とくにヘッドセットとグローブが役立った。

現在のわれわれからみれば、こうした初期のバーチャル・リアリティシステムは重くて扱いにくいように思えるが、ブラウン管、空間的制約のある有線接続、高性能のグラフィックカードがない画像処理など、当時の限られた機器を使って革新を起こしたこれらの科学者たちの並々ならぬ能力は、忘れてはならない。彼らが主に力を入れたのは、ユーザーの動きに応じた映像をリアルタイムで表示することであった。彼らは様々な世代の研究者、エンジニア、デザイナーたちの意欲を掻き立てた。★02

ビデオゲームのおかげで急速に発展したグラフィックカード

1970年代末までは、画像処理のためのグラフィックプロセッサーというものは存在せず、何であれ区別なく中央演算処理装置［CPU：Central Processing Unit］で演算処理を行っていた。つまりタイヤ工場の製造部門に、製造管理だけでなく商品化や配達まで頼むようなものであった。

例えばアーケードゲームの3Dグラフィックスは、グラフィックカードの原型である「グラフィック・コントローラー」のおかげで実現した。1979年にナムコが出したアーケードゲーム、ギャラクシアン（Galaxian）は、RGB（赤緑青）の3色を使った、当時の競合品よりも優れたディスプレイ能力によって一歩先んじた。

しかし1980年代には、より高い画像処理能力を必要とする二

★02…バーチャル・リアリティの歴史については、ジャン・スグラによる優れた総論を参照できる。（*http://assoafrv.wordpress.com/un-historique-de-la-realite-virtuelle-par-jean-segura*）

つのビデオゲームが大ヒットしたのに続いて、初期のグラフィックプロセッサーが登場する。エヌビディアなどの会社は、合成画像に関する研究所の成果をこうして活用して特許を登録し、GPU［Graphic Processing Unit］と呼ばれるグラフィック処理用の半導体チップを開発していく。

極めて特化したそのアーキテクチャ（構成）のおかげで、このGPUチップはビデオゲームで最も用いられるアルゴリズム（処理手順）の能力を大きく向上させた。しかもエヌビディアは、次々登場する新しいアプリケーションの要求にいっそう応えるアーキテクチャを、年々世に送った。例

…▶アーケードゲーム、ギャラクシアン［1979年］

…▶グラフィックプロセッサー［GPU］

グラフィックカードの性能

グラフィックカードはビデオゲームの要求に従って、光の性質、オブジェクト上の反射や影、さらにはオブジェクトの表面の最終的な様相を決めるパラメータを解釈できなければならない。グラフィックカードが進歩しなければ、パラメータを正確に解釈できず、ゲームの背景を精巧に表現することはできないだろう。もう一つの問題は、この解釈に必要な計算時間である。画像計算があまりに遅いと、画像は「ぎこちない動き」になり、ゲームの円滑な流れを妨げ、耐えがたいものになってしまう。

えばCPUなら数分かかるグラフィック処理が、現在GPUではあっという間に実行されるとともに、CPUの負荷が減り、グラフィック以外の仕事［ゲームの一貫性、音響効果、アニメーション］をより多く引き受けられるようになった。

バーチャル・リアリティの分野はこうした進歩の恩恵を受けた。というのも、当時難しかったのは、主にフレームレート画像の更新頻度［英語ではFPS：frame per second］を上げてリアルタイムで画像を表示することであったからである。従来の平面視の映画の場合、1秒に24コマのフレームレートであれば、われわれの目は連続した動きだと感じる。バーチャル・リアリティの場合もまさに同じで、1秒に24コマ以上あれば、画像がなめらかに動く感じが得られる。とはいえ実際は、FPSが90ということもよくある。ビデオゲーム愛好家は、ゲームの最中に自分がのめり込み掻き立てられるためには、FPSがどれほど重要かを知っている。

GPUがますます複雑になるにつれて、グラフィックカードはビデオゲームをするコンピュータの性能レベルを決める肝になっていく。同時に、バーチャル・リアリティはこうした進歩を利用するとともに、グラフィック能力の高いコンピュータの低価格化の

…▶コンピエーニュ工科大学・CNRS・ユディアジック研究所の4面［壁3面と床］から成る没入ルーム。アンティシプ社が制作［オー＝ド＝フランス地域圏・TRANSLIFE-FEDERプロジェクト］。

恩恵を受けた。

没入ルームの登場

バーチャル・リアリティの分野は次の10年で最初の急成長を果たす。実際、1960年代末から実現した科学的・技術的進歩によって、より安定した、より高性能のシステム、機器、ソフトウェアが提供されるようになった。これによって、人間と機械のインタラクションに関する研究が本当の意味で始まっていく。

1992年、エレクトロニック・ビジュアリゼーション研究所（シカゴのイリノイ大学）で、研究者キャロライナ・クルズ＝ネイラ[★03]は博士

★03…世界的に知られる彼女の業績によって没入システムは発展し、現在は産業界やVRの研究機関で非常によく使われている。

論文のために、壁や床、天井にディスプレイがなされて利用者がバーチャルな世界に没入できる、立方体または直方体の部屋を考案した。これを実現するために、このシステムは利用者の視線の方向に応じて必要となる画像をリアルタイムで計算する（3章66ページ参照）。もはやヘッドセットは必要ない。利用者は「没入」空間に全身まるごと入り込む。それはバーチャル・リアリティのアプリケーションにとって巨大な一歩であった。なぜなら、これによって複数の人間が同じバーチャル環境を共有し、そこで自分自身の身体を見たり、同じバーチャルなオブジェクト（物体）を前にして語り合ったりすることができるからである。CAVE™［Cave Automatic Virtual Environment］の誕生である。

1990年代における真の革命であったCAVE™の実現に魅了された研究センターや大企業グループがこれを取り入れたため、世界中の研究所や大学でバーチャル・リアリティのいくつものアプリケーションが開発された。それはコンピュータグラフィックスやロボット工学、力学のみならず、心理学、認知科学、神経学の分野にも及んだ。実験が重ねられると、バーチャル・リアリティが人間に与える影響もより理解されるようになった。大企業［航空、自動車……］も早い段階からこの没入ルームに興味を示し、多くの場合研究センターと協力していたが、次第に設備を整え、VRの技術者を雇うようになっていった。

このようにバーチャル環境に深く没入させることは、人間に現実の代替品、あるいは想像世界を与えるようなものである。合成バニラが自然由来のものよりも劣るのと同様、バーチャル環境は現実に比べて単純化されている。プラトンの洞窟の比喩が問いかけるように。では現実を映し出すために、どこまで行かなければいけないのだろう？　それを決めるのは人間のみであり、人間が自らの判断に従ってその体験を「信じるに足る」と思うかどうかである。

►プラトンの洞窟の比喩

『国家』第7巻に記されているこの比喩は、感覚世界、すなわちわれわれが感覚によって知覚する世界を、「上の世界」、すなわち現実世界との対比によって語るものである。洞窟内で鎖につながれた人々はもう一つの現実の投射影しか見ず、現実の音のこだましか聞かない。その制限された世界で、彼らは自らが知覚する影や音によって自分たち自身の現実をつくり上げ、上の世界に立ち向かうためにあえて洞窟から出ようとする者とは対立する。

バーチャル環境においては、感覚のフィードバックが問題である。すなわち、視覚、聴覚、触覚［皮膚感覚に関係する］を再現することであり、それによって人間はもう一つの世界に入り込んでいるような感覚を持てる［4章参照］。すべてが身体や脳に、製造された、合成された、すなわち現実に比べて本質的に不完全な感覚を送るような仕方で、計算されている。プラトンの洞窟の比喩は、模倣してつくられ映し出したものであるため貧弱ではあるが、その喚起力のおかげで非常に説得力のある表現物について語るときに、しばしば使われる。

身振り（ジェスチャー）による新たなインターフェース

2000年代にはビデオゲームの分野で二つの強力な流れが現れ、バーチャル・リアリティにも影響を及ぼした。一つは、ゲーム制作者たちが高レベルの画質や表現力を得ようと激しく競争したことで、結果として最高に美しいアニメ映画にも匹敵する美しさを、その製品に与えた。これが「グラフィック」の流れである。他方で、身振りによるインターフェースが登場した。例えば2006年の任天堂のWiiや、2010年のマイクロソフトのKinectである。これによりプレイヤーは力強いコントロール感覚を持てるように

►レンダリング

1秒に数十コマというリズムの合成画像計算は、「グラフィックスパイプライン」と呼ばれるものに相当する。言い換えれば、3Dの場面から、画面に表示される2D画像に変換する一連のアルゴリズムである。レンダリングと呼ばれるこのプロセスにはさまざまな処理が含まれる。例えばその中のライティングは光と3Dオブジェクトのインタラクションであり、シェーディングはそのオブジェクトを構成する多角形(ポリゴン)同士の間を平滑化することである。

レンダリングの計算では、オブジェクトに対する光の方向だけでなく、オブジェクトの表面[マットか光沢か]も考慮する。オブジェクトには素材による質感や性質があり、それによって見る者はよりリアルに感じるからである。こうした計算は、アルゴリズムの質とその正確さ、基盤モデル、技術手段のすべてに関係する。すなわち画像計算機に依存するということである。

…►左、3Dレンダリングされた非光沢素材[ラジオシティ]。右、3Dレンダリングされた光沢素材[レイトレーシング]

なり、ゲームはよりインタラクティブになったが、表現力の質は犠牲になった。そのため、ゲームの各コマ[画像]の複雑な計算を実行するにあたって、美しい画像と的確なインタラクションのどちらを優先するかを決定しなければならなかった。

2017年まで生産されたKinectは、身振りによるインタラク

…▶Kinect。2008年に考案され2010年に商品化。

ションに関して非常に興味深いインターフェースである。このシステムには二つのカメラと複数のセンサーが組み込まれているため、ユーザーの身体の関節の位置をかなり正確に計測することができる。そのため、例えばユーザーがKinectの前で踊ると、その動きが解釈され、アバター[★04]、またはバーチャルな踊り手に伝えられて、同じような動きをさせることができる。

2009年に発売されてヒットしたゲーム、Just Danceのコンセプトも、まさにそれである。このゲームはプレイヤーの動きを新たに細かく検知しようとするものであった。インターフェースのWiiやKinectを利用して行うこのゲームは、まずプレイヤーごとに調整して、骨格を再構成する[プレイヤーはゲームのはじめに腕を上げる必要がある]。この骨格からスタートして、アバターはプレイヤーの動きを再現しながらリアルタイムに動く。こうして開発された計算処理は、アニメ映画の人物を動かすための計算に近いものである。

このように、性能と小型化とシステム価格の間の折り合いが、バーチャル・リアリティの展開にとって決定的であったことが分かる。当初の目標は高レベルの画像計算をすることであったが、すぐにインタラクションもまた重要になった。ビデオゲームでは、コントローラーを用いてバーチャル環境を視覚化し、その中で移動や回転をしてナビゲーションをすることができた。また、

★04…アバターは現実空間内の要素の位置をバーチャル空間内で表すことができる形である。

…▶Just Dance。2009年にユービーアイソフトが開発したビデオゲーム

当時の高性能の光学式トラッキングによって身体の位置を空間の中でとらえ、インタラクションが直感的に行われるようになった。それはバーチャル・リアリティの新時代を告げるものであった。

ヘッドセットの急激な広がり——技術の飛躍的革新

1990年から2010年までの科学的・技術工学的成熟期の後、バーチャル・リアリティのあらゆる領域に、ますます革新的なモデルのヘッドセットが突如登場する。

►新世代のVR用ヘッドセット、Oculus Rift

2012年、20歳のカリフォルニアのメイカームーブメントの参加者パルマー・ラッキーは、バーチャル・リアリティ用ヘッドセットであるOculus Riftの試作品を開発するために、キックスターター社にクラウドファンディング計画を提出した。彼はすでに数年前から没入型ヘッドセットのさまざまな試作品を研究していたが、この資金調達の呼びかけと3Dビデオゲーム分野の大物たちの支援のおかげで、新たな計画が羽ばたくことになった。支援者の中には、ビデオゲームのDoom(ドゥーム)やQuake(クエイク)の伝説的なクリエーター、ジョン・カーマックの名もあった。

…► オキュラスの開発者用の初期の試作品。左がRift DK1、右がDK2。

2016年に商品化されたOculus Riftは、その特徴によってソニーのヘッドセットHMZをはじめとする先行品を大きく追い越した。軽量で、反応時間とフレームレートが効果的に管理され、方向センサーの感度がよく、視覚補正計算が正確……。しかも数百ドルと引き換えに、このヘッドセットは前世代の約20度に対して、90度の視野を提供してくれる。

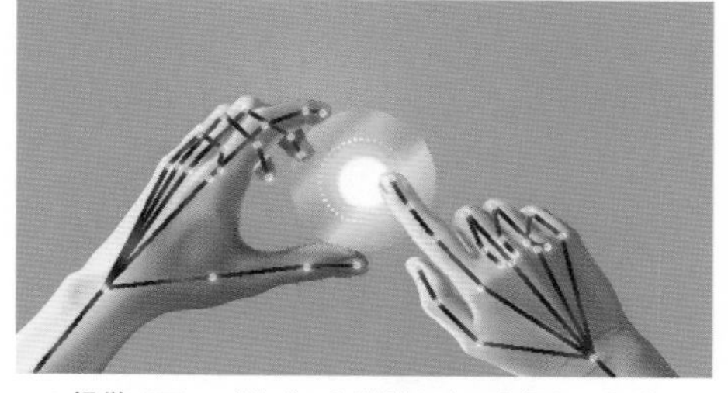

…▶視覚のアルゴリズムを基礎とする身振りの認識。カメラが捉えた像から手指の位置を検知する。

この計画がほかとは一線を画した点として、2016年の正式な市場投入前にプロトタイプ版を通してユーザーがOculus Riftに触れることができたということもあった。販売される開発キット

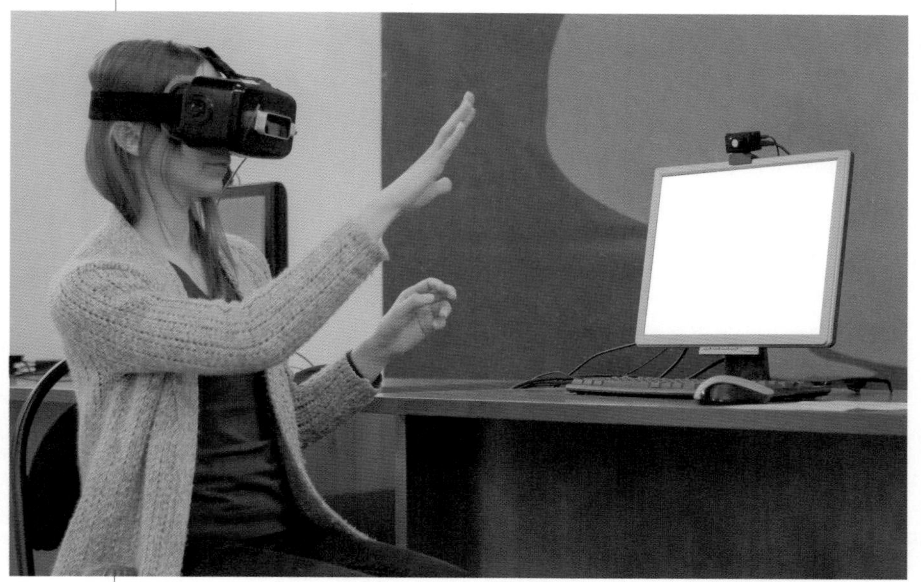

…▶3Dインタラクションのためにリープモーション［ヘッドセットに固定した灰色の小さな四角］を付けたVR用ヘッドセット。

(DK)が、キックスターターでの初期の出資者や、技術や使用法を発展させることに関心があり「カスタマイズ」したい人など、あらゆるファンに提供されたのである。

インタラクティブな3Dディスプレイを組み込むことを容易にしたオキュラスリフトの登場とともに、コンテンツを創造し普及させることも可能になった。しかし開発キットの初回版(DK1)にはモーションキャプチャーが組み込まれておらず、インタラクションに関して不都合があることが明らかになった。

そのためユーザーたちは、Oculus Riftにモーションキャプチャーを付加するためにアイデアを競った。すぐさまアーリーアダプター[製品の早期導入者]の大半は、手の動きを検知してコンピューターに触れずに3Dでインタラクションができる小型のモーションキャプチャー、Leap MotionをDK1に装備した。2013年に発売されてヒットしたLeap Motionは二つの赤外線カメラが付いた装置で、身振りの認識技術を基礎としており、ユーザーの両手の動きに呼応するリアルタイムの視覚フィードバックが可能である。

それに対して、2014年に出たOculus Rift開発キット第2版[DK2]は、カメラとSDK[ソフトウェア開発キット]のおかげで、インタラクションの管理ができた。

同じ年にフェイスブックがオキュラスを数十億ドルで買収し、この革新がデジタルコンテンツのクリエーターの注意を引くものであることが証明された。ある人々にとってこの買収は一つの時代の終わりを告げるものであったが、他の人々は、創造性の追求がこのウェブの巨人が目指す商業目的と共に進む可能性に期待した。

►カードボードという天才的な発明

Oculus Riftが熱狂を起こしたのに続いて、ほかにも新たな動きが

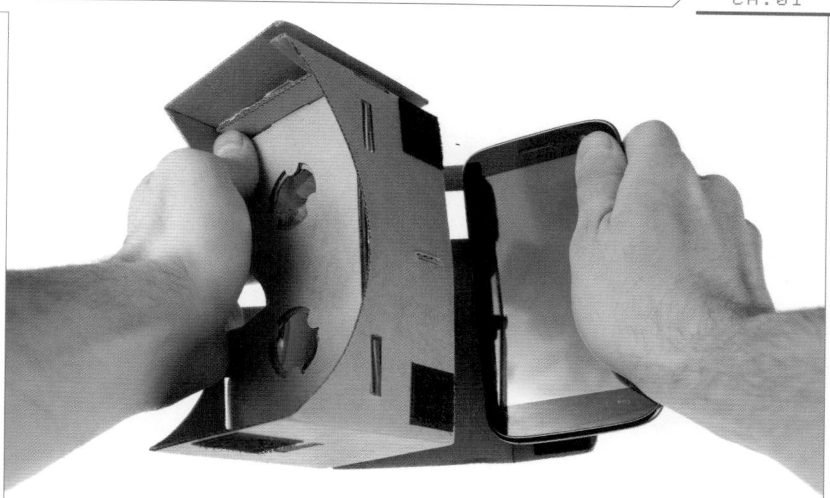

…▶カードボード――ボール紙少々、レンズ2枚と磁石1つで、単なる電話をスクリーンとして利用できる。

生まれた。2014年、パリのグーグル文化研究所のふたりのフランス人、ダヴィド・コズとダミアン・アンリが、グーグルの年次会議でカードボードを紹介したのである。これはドゥー・イット・ユアセルフの精神でつくられた、独創的な最低限のVR用ヘッドセットである。3Dゲームが表示できる、解像度の非常に高い大画面の最近の携帯電話を活用しようと、彼らはごくシンプルに段ボール箱にスマートフォンを固定し、そこに二つのレンズを付けてみたのである。

この発明品は大学やファブラボ、広告代理店に取り入れられて一般化し、爆発的にヒットした。約20ユーロで、あるいは商品展示会やその他のイベントではときには無料でVR用ヘッドセットを所有できるということで、カードボードは多くのユーザーにとってバーチャル・リアリティと初めて出会う機会となった。

とはいえこの簡易なヘッドセットは質的にはよろしくない。プラスチックレンズ、大雑把な視覚調整、電話、不適当なセンサー……。レンダリングは非常に不安定で、提供されるコンテンツは完全なバーチャル・リアリティでさえなく、360度ビデオ、またはぞんざいなつくりの3Dゲームであることもしばしばである。とはいえアイデアは天才的で、現在でもVRを知り体験するための最も身近な方法である。

►数多く多彩なVR用ヘッドセット

技術が成熟したため、制作者たちは、多少とも広い視野[field of view]を持つ、解像度もさまざまなVR用ヘッドセットの実現に向けて乗り出した。

2016年、HTC社とValve Corporation(バルブ・コーポレーション)は、HTC Viveという非常に革新的なVR用ヘッドセットを発売した。組み込まれたモーションキャプチャーが、部屋サイズ対応だったのである。これまでのヘッドセットは自分の周囲360度の画像を提供するとはいえ、視線の方向しか管理できなかった。これに対してHTC Viveでは、両手にそれぞれ持つ二つの細長いコントローラーが空間の中に位置づけられ、$20m^2$の空間内を移動すること

…►ヘッドセットのHTC Viveは、コードレスの二つのコントローラーによって、$20m^2$の現実空間内でのインタラクションが可能である。

が可能である。これにより自分の周囲の物体に近づいたり、その周りを歩いたり、しゃがんだり、片手または両手の動きでその物体を扱うことも可能になった……。オキュラスはかなり早い段階で同様の機能を提供したが、HTC Viveのために開発されたトラッキングシステム、LightHouseは、動ける範囲の広さについても、システム利用の簡便さについても、2017年末の時点になっても明らかにほかのどのモデルよりも技術的優位を保っていた。

並行して、ほかのモデルも登場した。オープンソースで提供されたOSVR［Open Source Virtual Reality］システム、サムスンのスマートフォンをベースにした同社のGear VR、ソニーの最新ゲーム機とともに使うプレイステーションVR（PlayStation VR）、独立したトラッキングシステムでウインドウズ10と接続するWindows Mixed Reality、オールインワンのOculus Quest等、提供されるものは広がり、テクノロジーは多様化し、アクセスできるプラットフォームが増えたため、各人はさまざまな方法でバーチャル・リアリ

VR用ヘッドセット――小さい子には危険！

指導・管理されていないVR用ヘッドセットの利用による影響で最も不安なものの一つは、とくに幼い子どもの視力低下である。投影された像が近いと、人間の目はすぐに疲労することが確かめられている。VR用ヘッドセットは明らかにこれに当たる[★05]。輻輳――両目を一点に向ける――と調節――対象物までの距離はどうであれ鮮明に見る――との対立は、現実とバーチャル環境では異なる。現実世界では、輻輳と調節は同じ、あるいはほぼ同じ距離上でなされる。それに対してVR用ヘッドセットを装着していると、目は画面の前または後ろに位置するバーチャルな物体上で輻輳するが、調節のほうは常に画面上でなされる。これにより目の強い疲れが起こり、子どもでは視力の発達を乱す可能性がある［107ページも参照］。

★05…*Laure Leroy, Diminution de la fatigue visuelle en stéréoscopie, ISTEéditions, 2016.*

ティを体験することができるようになった。

グラフィックスライブラリーから3Dエンジンへ

こうした機器の発展は当然ながらソフトウェアの発展を伴う。初期のソフトウェアは専用のもので決まったアプリケーションに適応するものであったが、ミドルウェアは次第に包括的になり、ビデオゲームから来たソフトウェアがバーチャル・リアリティのアプリケーションでも使われた。各研究所、各会社が独自にツールを開発し、互いの協力や互換性に問題が生じていた時代は終わりを迎えた。

ビデオゲーム分野は非常に勢いがあり広く展開していたため、価格が高く活用が複雑なバーチャル・リアリティの分野を少しずつ向上させた。VRアプリケーションの開発ソフトや3Dエンジンは、高度な専門技術のレベルから、ひらすらシンプルなものを目指すようになっていった。

1990年代にはグラフィックスライブラリーであるOpenGL［Open Graphic Library］によって、点や線、物体を描くことができ、バーチャルカメラや動き、インタラクションが生み出されて、各部分が細部にわたって発展した。とはいえ20年後にバーチャル・リアリティのために使われたのは、ゲームエンジンであった。CryEngine、Blender、Unreal Engine、Unity、OGRE、Three.jsなどのエンジンは、シンプルなインターフェースを介した接続、すなわち没入システムのディスプレイ、あるいはポインターやグローブ等の使用に必要な機能を必ずしも有していないため、VRへの適用度はさまざまであったが、最新のテクノロジーの進歩をすぐさま組み入れた、非常に強力な機能を有するツールボックスであった。

2015年ごろ、3DエンジンであるUnity（6章参照）は、個人や小規

…▶Unity3Dのインターフェース。

模スタジオでのご利用は無料であるだけでなく、使い方が非常に簡単でVR用ヘッドセットにも容易に対応できることから、避けて通れないものになった。Unityの最新版は――あるいは強豪ライバルのUnreal Engineも――音響処理、ビジュアルスクリプト、人工知能、素材、特殊効果、オンラインゲーム等、ますます多くの機能を持ち、より最適化していった。

拡張現実のほうへ

2010年ごろから、バーチャル・リアリティは拡張現実(ARと略されることが多い)と呼ばれるもののほうへ向かっていることが認められるが、この言葉が大衆に広く知られるようになるには、50年はかかるだろう。実際この語は1970年代末から、現実の「グラフィックスの拡張」、すなわち実像または合成の像をビデオに重ねたものを示すために使われていた。しかし今回はバーチャル世界を視覚化するのではなく、バーチャルと現実とを結び付けるこ

…▶HUD［ヘッドアップディスプレイ］による表示。戦闘機ロッキードC-130Jスーパー・ハーキュリーズの副操縦士用。

とを意味するようになる。バーチャルな像やオブジェクトは、カメラを通して見える現実の場面の上にピクセル（画素）ごとに正確に位置づけられ、そのすべてが画面またはメガネ上に映し出される。それらの情報は、場面の正しい場所に位置づけられてそれを豊かなものにすることから、現実を「拡張」するものとなる。

拡張現実用のVR用ヘッドセットはつまりバーチャル・リアリティ用のものではなく、むしろHUD（ヘッドアップディスプレイ）である。軍事航空分野では、1980年代からこのHUDタイプのディスプレイが使われていた。これは半透明のミラー上に情報を表示する小さなプロジェクターを利用して、飛行に有用な情報をパイロットの視野上に重ね合わせるものである。パイロットはそのようにして環境［障害物、敵機］に目を配りながら飛行して、自分の使命

恐竜、特殊効果と拡張現実

1992年から1993年、スティーヴン・スピルバーグ監督は恐竜の合成画像を作成するためインダストリアル・ライト＆マジック社と協力して、映画『ジュラシック・パーク』を撮影した。恐竜を人物に重ねて映画の中にはめ込む際には、一つの視点、つまり実際のカメラの視点から見て的確であるようになされた。そのためカットごとにバーチャルな像と実際の像との完璧な位置決めが必要であり、撮影後の計算作業は昼夜を問わず行われた。

複数の映像ソースを混合するこうした合成技術は拡張現実で用いられる方法に近く、映画はこのようにその改良に貢献してきた。しかし大きな違いとして、拡張現実では像の重ね合わせをリアルタイムで行わなければならない。つまり利用者の視点の位置を定めて、その視点に相応の映像を即座に提供しなければならない。

を果たすわけである。

バーチャル・リアリティから拡張現実へというこの変化は、測位システムや利用者の位置検知技術が成熟したことから説明できる。実際数年前から、人々はスマートフォンやタブレットその他、高性能のカメラやGPS、Wi-Fi機能を持つ機器を所有している。同じ価格でも能力が拡大し小型化したコンピュータのおかげで、この技術は以後大衆の手に届くようになり、軍事分野から自動車産業などの民間分野へと移っていった。

拡張現実のもう一つの例であるメガネ型のグーグルグラス（Google Glass）は、2012年に研究開発企業グーグルXラボが開発したが、数年後にいったん放棄された。これは小さな画面とカメラ、マイクを備えており、Wi-Fiまたはブルートゥース（Bluetooth）によってインターネットにアクセスするものであった。

現在拡張現実の技術の中で最も単純なのは、ARマーカーを直

…▶このレストランでは、スマートフォンのカメラがQRコードを認識するとメニューを表示する。

…▶拡張現実では、現実の写真を撮り、それに注釈、像やオブジェクトを付け加える。ここでは平面図を3Dで見せている。

接物体上に位置づける技術である。例えばQRコード[これはまさに2次元バーコードである]もマーカーである。これはスマートフォンに内蔵されているカメラで写し、インストールしたアプリで解析するもので、そうするとスマートフォンはウェブ上の情報を探して、そのQRコードに合致するデータ[文章、図、動画…]を表示する。

1枚の紙をマーカーにした場合、利用者はスマートフォンを使って、その紙の上に3Dのオブジェクトを見ることができる。このタイプの拡張現実は、医療、建築、加工業、広告、出版等、さまざまな領域で実用化されている。

もう一つの技術はマーカーのないもの(マーカーレス)で、GPSによって検知された現実空間内のカメラの位置を利用する。バー

►ARにおける情報のコロカリゼーション(重ね合わせ)

現実空間や3次元のバーチャル空間において、物体は三つの空間座標によってその位置を突き止められ、それがグーグル(Google)の地図作成エンジン、グーグルマップ(Google Map)のような地図に伝えられる。ARゲームの開発者たちは新たなゲームアプリをつくるにあたって、以後このプラットフォームを使うことができる。例えば実際の美術館をバーチャルな要素や手掛かりでいっぱいにして、来場者を惹きつけたり驚かせたりすることも可能だろう。

コロカリゼーションのためには、拡張情報[文章、像、3Dオブジェクト、音]を現実世界に正確に表示しなければならない。このタイプのディスプレイで最も古いインターフェースはHUD[40ページ参照]であるが、カメラや位置センサー[GPSその他]の目を見張るほどの進歩のおかげで、タブレットやスマートフォンも現実とバーチャルとのコロカリゼーションに適するものになっている。その代わり、カメラとインターフェースの間に障害物が現れると、コロカリゼーションは失敗する。それはARに対する「妨害」である。

…▶ポケモンGOはスマートフォン用の拡張現実を基礎にしている。

チャルなオブジェクトがこのカメラのそばにデジタル的に存在していると[別の言い方をすると、そのオブジェクトの空間内における座標が現実の場所と一致していると]、スマートフォンによってそれを視覚化することができる。スマートフォンはこうして目に見えないものへと開くバーチャルへの窓代わりになるわけである。

このマーカーレスの技術は、2016年に世に出たポケモンGOのアプリケーションで利用された。これは複数の人が遊ぶスマートフォンのゲームで、プレイヤーは現実空間を移動しながらキャラクターをつかまえる。グーグルの子会社だったナイアンティック社とポケモン社が開発したこのゲームは、あっという間に社会現象になった。

それにしても、ポケモンはどうして現実の庭の中で見えるのだろう？　実際はプレイヤーあるいはゲームの制作者が、現実空間内の座標軸によってポケモンを位置づけているのである。それを見るには、インターネットに接続するスマートフォンがあれば十分である。スマートフォンが地図上に位置づけられ、その方向が検知されると、ARのアプリケーションはカメラの視点に応じて表示すべき像を計算する。つまり、すべては現実世界と重ねて位置づけられたデジタル世界で起こっているのである。

現代または近い将来、バーチャルと現実を組み合わせたこうしたシステムは著しく発展すると、予言できるだろう。それは、広く複合現実と呼ばれるものである［7章参照］。

バーチャル世界とは何か?

バーチャル世界といっても実にさまざまなものがある。過去や現在、未来の場所から着想を得た世界、何もかもが想像による世界、ひとりの人間のレベルの世界、限りなく大きい、または小さいものを表す世界、現実に即した世界、または抽象的な概念を具現化した世界……。こうしたすべての世界の共通点は、そこを利用者が「訪れる」ということである。利用者はその世界と自然にインタラクションをし、そのルールに従いながら、その中で移動し、そこに実際にいるかのような感覚を持って行動するだろう。

こうしたバーチャル世界は一般に、背景、オブジェクト(物体)、素材、光、アニメーション(動き)など、訪問者の環境を描き出すために必要な情報データをすべて集めたシーン(場面)という形で組み立てられている。インタラクションは、それぞれのケースにふさわしいインターフェースによって実現する。例えばバーチャルな道をぶらつくにはセンサー付きの本物の自転車、景色をさっと見渡すならゲーム用コントローラーなど。

オブジェクトと3Dモデル

バーチャル・リアリティのためのオブジェクトは、ビデオゲームや3D印刷の分野と同じような方法で設計される。大部分において、それらは三角形や長方形のファセット(面+法線ベクトル)で構成されており、それらがサーフェス(表面)の範囲を確定する。ある観点から見れば、そうした3Dオブジェクトは「空洞」で、折り紙に似ている。

こうしたオブジェクトのモデル化は、一般に3Dサーフェスモデラーと呼ばれるソフトウェアを使って行われる。これによって、プリミティブ(基本図形)[立方体、円柱、球体…]を生成して、それを操作することができる[ブール演算による融合・抽出、面の押し出し、再分割、平滑化等]。このタイプのソフトウェアは、コンピュータがオブジェ

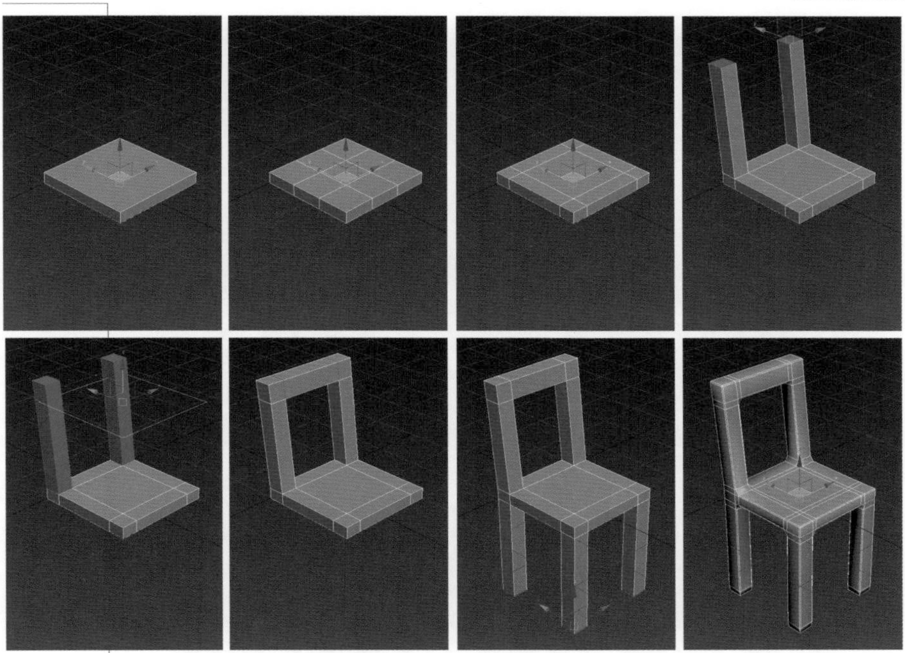

…▶モデリングソフト、3ds Maxを使った1からのモデリングの段階。

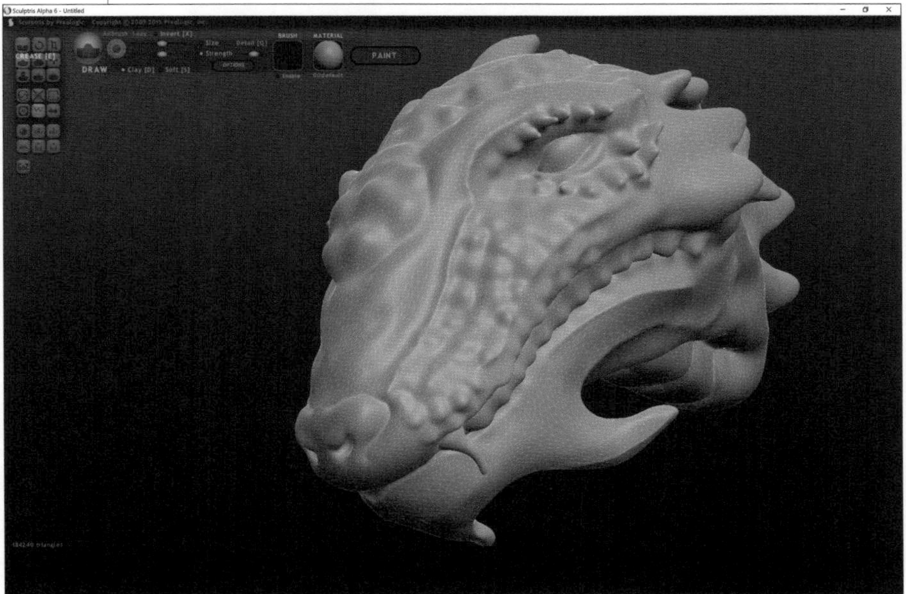

…▶3D彫刻の無料ソフト、Sculptris（スカルプトリス）のインターフェース。

ファセットと性能

ビデオゲームと同様、バーチャル・リアリティの典型的な3Dシーンは2000年代までは数千個の多角形(ポリゴン)から成っていたが、現在では同時に数百万個のファセット(ポリゴン+法線ベクトル)が可能である。3D環境の複雑さはコンピュータ機器の性能とともに増している。

とはいえ1秒に100コマという並外れた速度で3Dオブジェクトを表示しなければならないグラフィックプロセッサーも、ファセットの数が適度なモデルを高く評価するだろう。だからといって、多くのファセットを生み出すモデリングツールを使ってはいけないわけではない。なぜなら自動的に簡略化するアルゴリズムと法線マップの技法のおかげで、細部が非常に繊細である印象を与えながらも、最終的にファセットの数を減らすことができるからである。

…▶法線マップは光や反射の影響を操作することで、多くのファセットの錯覚を生み出すことができる。3Dモデル内の意味のない細部は、テクスチャーに基づく単純な技術でシミュレーションすると、実行する上で負担がはるかに小さくなる。

クトを描画する際に行うデータ処理に近く、非常に自由に処理できるが、ファセットの数が数百を超えると非常に面倒になりかねない。

非常に多くのファセットを使うことで創作過程を加速させていった、また別のタイプのソフトウェアもある。例えば3D彫刻のツールは、素材の塊を「加工」することができる。使用するのは彫刻家が使うのと似た道具だが、デジタルであるからこそ可能と

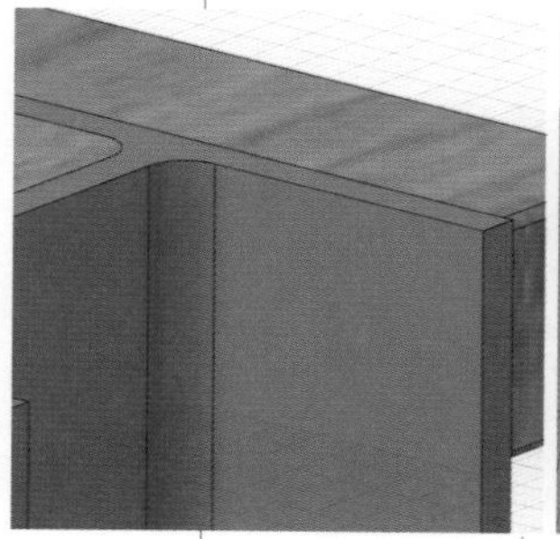
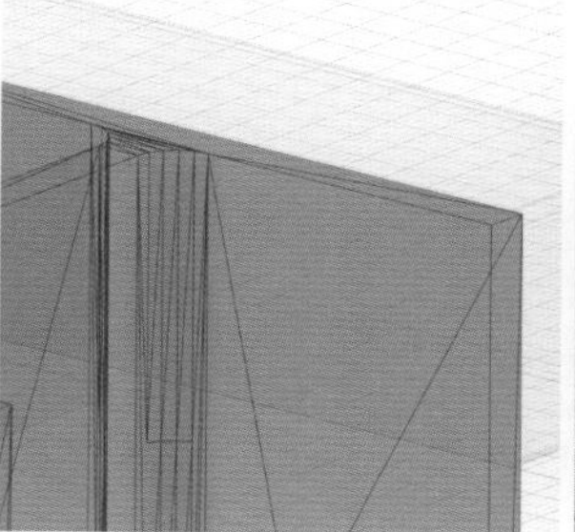
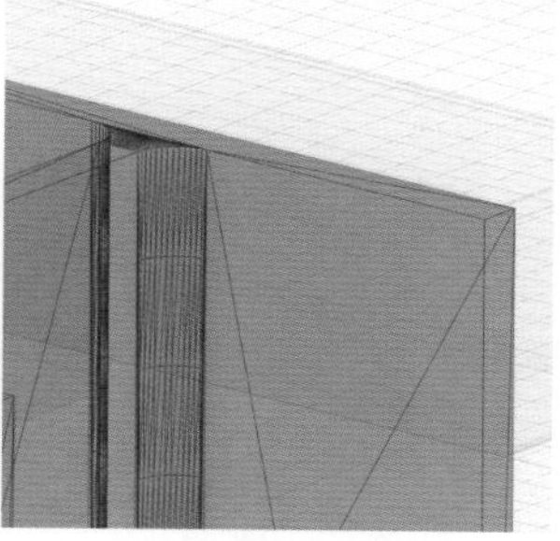

…▶CADのソフトウェアで使われるNURBSサーフェスは限りなく正確な数学的方程式に対応しており、生成したいファセットの数を選ぶことができる。

なる独自な点がいくつかある。例えば素材を付け加えたり、広い表面を滑らかにしたり、くぼみに直接「ペイント」したりすることができる。こうしたツールは、丸みや有機的な外観を与えるために、自動的にファセットの密度を操作し、必要な細部を付け加える。これは一度に多くのファセットをつくって操作できるため、一つずつ修正を加える必要はない。

3Dオブジェクトをつくり出す技術はサーフェスモデリングだけではなく、他のアプローチ方法も存在する。

- ▶ビデオゲームのMinecraftで普及したボクセル(小さな立方体)によるモデリングは、立方体の総体で非常に大規模な世界をつくることができる。
- ▶ボリュームテクスチャーによる表示は、オブジェクトを3Dテクスチャーとして定めて、直接画面に張る。この技術はとくに雲、微粒子、ホコリを表すときに用いられる。
- ▶パラメトリックな手法による3Dモデルの作成は、固有のアルゴリズムとリアルなシミュレーションを使って、例えば複雑な木の皮や荒れた海面などを生み出す。
- ▶NURBS(非一様有理Bスプライン)またはB-REP(境界表現)は、われわれの周りの数多くの製品を考案するために、企業で広く使われている。非常に正確で互いに転用できるパラメトリック・サーフェスのおかげで、ヘアドライヤーから車の車体まで、何でも表せる。

指摘しておくべきこととして、こうしたその他の技術でも、多くの場合は、オブジェクトの表示処理中にファセット群による3Dが生成され、レンダリングに使用される。なぜなら、それぞれの技術に利点はあるとしても、現代のグラフィックカードは3Dで三角形を表示するのに特化していて、それを避けて通るのは不都合だからである。

個別のオブジェクトのままでは3Dシーンを構成することはできないため、ユーザーの居場所と、通常では歩くための床や周囲を見るためのいくつかの光源があるような一つの空間として、そ

▶3Dモデリングソフト対3Dエンジン

ますます似てきているとはいえ、この二つは全くタイプの異なるソフトウェアである。3Dモデリングソフトはオブジェクトを創造し風合いを与え、将来の利用［テレビゲーム、3D印刷、映像、特殊効果］に合わせて最適化する。3Dエンジンのほうはビデオゲームやバーチャル世界の心臓部であり、構成、レンダリング、インタラクションの面で3Dシーンを組織し、オブジェクトをリアルタイムで表示するために必要なすべてのアルゴリズムを管理する。例えば、詳細度、アニメーション、動的な光、影、入力まわりなどである。

もともとエンジンはコンピュータのライブラリーであり、かなり簡素なツールにすぎなかった。しかし2000年代以降、グラフィック編集やパラメータ化できるアニメーション、リアルタイムのオブジェクトづくりなどのツールに恵まれて、それまで3Dモデリングソフトに限定されていたオブジェクトづくりの機能を持つに至った。

れらを再構築する必要がある。この3Dシーンを整えるためには、それぞれのオブジェクトの位置、方向、スケールを定める。また、オブジェクトをコピーして異なる場所に置いたり、「子要素」が「親要素」の動きに追従するように、オブジェクト間に階層をつくることもできる。例えば車の車輪が、それ自体は自由に回りつつ、車体に従うようにすることもできる。

素材と光

3Dシーンは、われわれ自身の目で見えない限り、まだ抽象概念の状態にとどまっている。光とバーチャル素材の振る舞いは、次のような順序でシミュレーションをする。

►素材とは何か?

われわれの周囲にあるものは全て光に対して異なる反応をする。光を通す・通さない、反射する、曇っている、半透明、ざらざら

…▶三つだけの質感[色、金属性、粗さ]によって得られるサーフェスの材質と効果の例。ケースによってはざらつきを加えるために、表示のときにオブジェクトを軽く変形させる立体感のあるテクスチャーで補う。

シェーディング小史

現在ではリアルタイムで計算された像にだまされるのはよくあることだが、3Dレンダリングが始まったのは1970年代、ユタの有名なティーポットからである。それは今では合成画像のシンボルになっている。1975年、ユタ大学のコンピュータグラフィックス研究者マーティン・ニューウェルは、研究のため比較的モデリングしやすいものを探していた。すると妻が自宅用のティーポットを提案した。そこで彼はそのティーポットを数学的にモデル化し、その方程式をほかの研究者にも自由に使わせた。

ティーポットはかなり複雑な幾何学的形状で、取っ手があり、表面は開いているところと閉じているところがあるが、影と反射の計算は可能な形である。この物体の3D座標系がその世界で広まったことから、ほかの研究者たちは時間を節約して新しいアルゴリズムを試すことができ、とくにシェーディング技術の実験に充てることができた。その技術によって、3Dオブジェクトを本物そっくりに画面上に表そうとしていたのである。

「陰影をつける」ともいえるシェーディングは、デッサン画家が木炭で影を描くように、まず与えられた視点と光を起点として、オブジェクトの表面の多少とも暗い色をぼかして表示することである。

2000年ごろにはシミュレーションした反射や複雑な影を表現することが可能になり、次いで屈折［透過］や法線マップが登場した。光のモデル、サーフェス表現のアルゴリズム、テクスチャー生成の進歩とともに現代ではほとんど忘れられているが、バーチャルなオブジェクトはすべてピクセルごとに体系的に表示されているのである。

している……。3Dレンダリング技術はこうしたさまざまなケースをすべて考慮しながら、時とともに進歩してきた。現在では、いくつかのパラメータだけでリアルな素材を定め、とくにリアルタイムで1秒につき数十コマを表示することができる。

現在最も使われている技術は、PBR［Physically Based Rendering／物理ベースレンダリング］である。PBRは大部分の素材を、色、金属性、粗さという三つの主要なパラメータを使ってモデリングする。サーフェスの広がり上にテクスチャーを使い、このパラメータの値を緻密に変化させて、法線マップや発光するテクスチャーと組み合わせながら、想像上の材質の大部分を非常にリアリティをもって再現する。

►カメラを付け加えよう……

とはいえ像は、与えられた視点から誰かが見たときしか現れない。コンピュータグラフィックスでは、一般に「バーチャルカメラ」［74ページ参照］のコンセプトが使われる。バーチャル・リアリティは二つのバーチャルな「目」を獲得するために、カメラを二つセットして、このコンセプトを保つ。この二つを互いに数センチ離して置くことで、視界が広がる。ヘッドセットでは視界は90度から210度までさまざまで、6面のCAVE™では360度までいける！

バーチャル・リアリティのそれぞれのソフトウェアでは、カメラの操作方法を自由に選ぶことができるだろう。デフォルトではもちろん自分が通常の大きさの人造人間になったように思えるが、世界を盤上ゲームのように上から見たり、鳥の視点、あるいは幽霊の視点から見たりすることも可能である。

►そして光は

われわれには素材があり、カメラがある。あとは光を再現するだけだ……。それはライティング処理の範疇であり、実物のような像を生み出すには、カメラとオブジェクトの間の光の進み方を計算する。

…▶それぞれのオブジェクトは反直感的と思える順序で一つずつ描かれるが、その選択は多くの場合、作業を軽減するためにレンダリングエンジンに任される。

最初に考えるのは、光源から出た光線をすべて追い、その跳ね返り、反射や拡散を計算して、カメラに達する光を検知するということかもしれない……。しかしその光線の数は無限であり、選択するとしても多くの光線は「自然の中で失われて」しまうだろう。

よく選ばれるアプローチ方法は、像の各ピクセルに達した光線を追い、光の通った跡を光源まで遡るという、逆の方法である。リアルタイムに適応する変形版は「画家のアルゴリズム」と呼ばれるもので、とくにグラフィックカードにより最適化されており、3Dアプリケーションでは今日最も使われている。ピクセル上に表示されるサーフェスの各断片について、そのサーフェスに達するあらゆる光源を探し、その特徴[角度、強度、色合い、できる影…]を勘案してそのピクセルの色を導き出す。複数のサーフェスが互いに前後に重なり合っているときには、それぞれのサーフェスに対してそのピクセルを表示して、最もカメラに近いサーフェスに対応するピクセルだけを保つようにする。

しかし光は、光源とオブジェクトとカメラの間の直接的な経路だけに従うわけではない。実際に近い像を得るためには、間接的な照明も考慮する必要がある。光は各表面で反射し、オブジェクトの隅々に「侵入」して素材の色を映し、それが跳ね返りを起こす。3DやVRのエンジンはまだリアルタイムでこうした計算をす

▶リアルタイムと前計算

1秒間に数十回実行される計算もあるが、そうでないタイプのものもある。テクスチャー、光、反射、アニメーションのすべてをコマごとに計算しようとしても、像が非常にぎくしゃくとしたものになるだろう。ユーザーがバーチャル・リアリティを快適に楽しむには、1秒間に60〜100コマが目指されるからである。

この技術的問題を回避するためには、いくつかの計算を前もって行い、その結果を適切なときに利用するためにメモリーに保存する。つまり、ユーザーの動きに直接関わる視界やオブジェクトはリアルタイムで計算しなければならないが、それ以外のことはしばしばトリックの対象になるのである。例えば建物のファサードの色や上のほうの太陽の光の影響はユーザーの位置に関係ないため、そのファサードのテクスチャーはあらかじめ計算して、単にVRの実行中に「張り付け」ておくことができる。

現在の技術段階では、リアルタイムでごく簡単に実現することはできないタイプの計算もある。例えばある種の完全に動きがある反射効果を蘇らせるには、まるまる数分は必要だろう。それを埋め合わせるために、シーン内の複数の場所に360度パノラマ眺望をキャッチできる観測点を定め、反射を再現するために利用する。同様に、テクスチャーの間接的な光をあらかじめ計算して、一つか二つの光源や、最も目立つ影だけをリアルタイムに残すことも多い。

とはいえ機器のパワーや利用可能なアルゴリズムは進化を続けており、物理シミュレーションが数年で広がったのと同様に、動的な光と影の最先端の計算も近々実現可能になるかもしれない。人工知能もこれまでにない方法をもたらしている。その中には、あえて大まかな計算をより早く実行して、次にニューラルネットワークにそれを改良させようとするものもある。

べてできるわけではないが、リアルタイム・レンダリングが一定のフレームレートのリズムに従えるようにするために、前計算の段階［ベイキング］で、しばしば進行時のバーチャル世界に関する十分な情報を集めることができる。前もって壁に影を「塗って」おいたり、空間を多数の小さな立方体に分けて、それぞれが3D世界の光の流れに関する情報を持つようにしておくのである。

アニメーションと振る舞い

シーンはデフォルトでは動かないため、リアリズムを増すためにアニメーションを加える。

►キネマティックアニメーション、プロシージャルアニメーション、キーフレームアニメーション

オブジェクトを動かす最も単純な技法は、時間経過とともにその位置や性質を変えることである。バーチャル空間はプログラムコードを実行するのと並行して、3D背景も処理する。これは一般に、ビヘイビアスクリプトに対応する［使う技術によって呼び名が違うことがある］。

こうしたスクリプトはバーチャル世界のバックグラウンドタスクとして常に実行され、3D背景のそれぞれの特性を操作して変化させることができる。例えばもし風車を動かしたければ、そのオブジェクトを1秒ごとに90度回転させるだけでよい。つまり、もしそのバーチャル世界が1秒に90コマを映し出すならば、1コマで1度、回転することになる。そうなれば――映画と同じように――人間の目には連続した動きに見える。こうした計算は、この風車のようにごく簡単に始めることから、複雑な動きを「プロシージャル（手続き的）[★01]」に生成することまでできる。そうした複雑な動きは、物理的または数学的な［流体力学、統計学等］、進んだモデルから着想されたものであることが多い。

★01…プロシージャルのアルゴリズムは、最初の数個のパラメータから大量の複雑なコンテンツを生み出すことが可能な生成アルゴリズムである。とくに面倒な手作業を軽減して、例えば筋肉や反射、人体に典型的なびくっとしたような反応を勘案した人間の動きを自動的に生成してくれるため、制作者は全般的な指示だけを与えればよい。

★02…ソフトウェアによって好みがあるようだ。二つの方向が選ばれると［右手の法則か左手の法則か］、上に向かう第3の軸はY軸またはZ軸となる。大部分の工学ツールはZが上［Z-up］の右手系であるが、ビデオゲームのエンジンでは慣例的にYが上［Y-up］の左手系である。

▶ベクトル、行列、その他

位置や方向、スケール（拡大縮小）を選んで3Dシーンとしてどのようにオブジェクトを配置するかはすでに見た。アニメーションに関しても、同じパラメータが使われる。位置については、3次元のベクトル（X　Y　Z）だけで定められる。例えばベクトル（1　2　0）であれば、レベルゼロ、高さ2メートル、われわれから左1メートルのところにオブジェクトを位置づける。注意点として、こうした表記はすべて使用する座標系に依存する。ここではアメリカでよく使われるY軸が上に向かう（Y-up）左手座標系[★02]を使う。これはマイクロソフトダイレクトX（Microsoft Direct X）の技術で広がった座標系で、いくつかのソフトウェアのベースになっている。

回転については物事は複雑になる。3次元のベクトル［ロール、ピッチ、ヨー］という形でオイラー角を使うことができるが、より堅固で効果的なのは「四元数（クォターニオン）」を使う方法である。細部には入らないが、これは軸と適用させる角度によって、回転を扱いやすい数学的な形に定める方法である。とくに、対応する四元数を直接掛け算して回転を組み合わせることができる。

スケールについては、単にベクトルを3次元でとらえ直して、各軸上で縮尺率に対応させる。どちらかというと、オブジェクトがすべての軸上で同じ方法で目盛りをとる「同形」のスケールが使われるだろう［例えば普通よりも2倍大きいオブジェクトは（2　2　2）］。

最後に、3Dエンジンでは4×4の行列の中で、位置、回転、スケールを調整する。これは3Dシーンの中に位置づけるために必要なものをすべて含む、オブジェクトの「アドレス」である。

純粋に数学的なアニメーション技術は、われわれの周囲の世界の自然で複雑な動きを表すにはふさわしくないだろう。例えば飛んでいる鳥の動きの方程式とは、どのようなものだろう？　そう

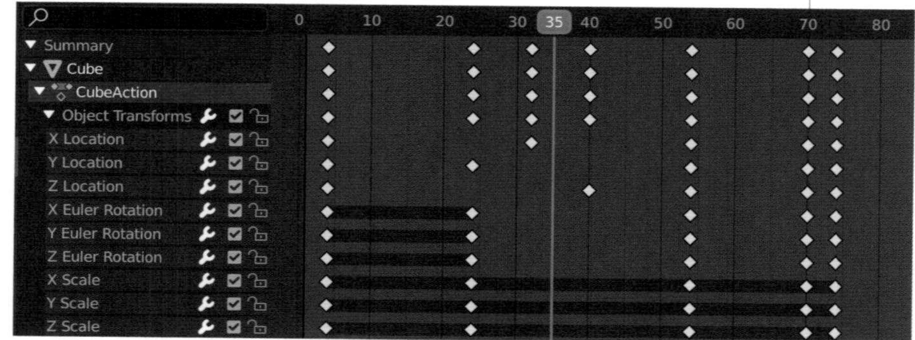

…▶キーフレームアニメーションの例。時間経過における通過値を定めると、ソフトウェアが中間値を加えてくれる。

した場合は、アニメで使われるようなカギとなるコマ［キーフレーム］の技術を使う。アニメーションの中の重要なポーズを複数決めて、制作者が選んだ速度のカーブを基礎にしてポーズとポーズの間に動きを挿入するよう、コンピュータに命じるのである。3Dモデリングソフトはこの種の作業のためのツールをほぼすべて含んでいるが、UnityやUnreal Engineのような3Dエンジンも、ごく最近から同様のものを提供している。

もちろん複数の技術を組み合わせることも可能である。海上のボートを表す例を取り上げよう。

- ▶海は友人の物理学者から拝借した数学的方程式をベースにした、プロシージャルなものになるだろう。それにより海面が説得力をもって描かれる。
- ▶ボートは波の上に正確に垂直に位置づけられ、その接線に対して傾く。これは単純な数学的計算でできる。
- ▶ボートの舵を取る哀れな船長は、左舷で舵棒を持つ姿勢と右舷で舵棒を持つ姿勢というキーとなるコマを交互にすることで、動きをつけられる。

このようなバーチャル世界は同時に動く要素があまりに多いため、これを試したユーザーはすぐさま酔いするかもしれない。船のデッキの方向をたびたび変えて視点の移動を強いるというのは、良いアイデアではない。

►物理シミュレーション

アニメーションを生み出すときには、リアルな振る舞いを描こうとすることが多い。ものが落ちる、車が横滑りする、人間が転ぶ……。そこで、オブジェクトの動きは特別なモジュールに、すなわち物理シミュレーションエンジンに任せることになる。これに

►歩くことは倒れることにあらず

物理エンジンは非常に有能だが気難しくもある。アニメーションの細工をしたり、コマごとに計算してオブジェクトの位置を設定するなど問題外だ。制作者は物理法則に従わなければならず、進んだり回転したりする力を加える以外、オブジェクトに働きかけるべきではない。ビデオゲームのポータル(Portal)の銃やロケットであればかなり簡単だが、われわれの周囲の複雑なオブジェクトやメカニズムに関しては、ほとんどの場合そうはいかない。

人物を動かそうというのは、もっと都合が悪い！ 人体は完璧に連携した数千の筋肉から構成されているため、物理エンジンで動かすにはあまりに複雑で、自然にはいかない。そのため、むしろモーションキャプチャーに頼ることになる。これは、マーカーを付けた動作主を撮影して動作をとらえ、リアリティのある結果を得るという技術である。ビデオゲームはラグドール物理の技術も広めた。これによって、登場人物は倒れると関節を持った人体模型に戻り、物理エンジンのみに基づいて、背景を──苦しそうに──転げ落ちる。アクション系ビデオゲームでは欠かせない。

…▶多くの立方体の物理シミュレーション。重力、衝突、弾性衝突の効果が組み込まれている。

よって、かけられた力に従って動くオブジェクトの軌道や、オブジェクト同士または環境との衝突が、自動的に計算される。

伝統的にコンピュータはコマごとに各オブジェクトを力学的に計算し、その位置、速度、適用される力[重力の場合も多い]に従って、ミリ秒ごとに未来の状態を導き出す。しかしそうしたオブジェクトの軌道は、二つのものが衝突すると直ちに影響を受ける。その場合は、アルゴリズムは関係するオブジェクト間の接触点を見つけ、エネルギーがどれほど発散されたか、あるいは伝わったかを見積もり、オブジェクトの位置を即座に設定して接触を本物らしく見せたり、あるいは速度を変えてバウンド効果を生み出したりする。

こうした計算の複雑さを考慮すると、一般にこの方法で管理できるのは数個のオブジェクトだけになる。一方背景はしばしば「不変」、すなわち動かないものとみなされ、衝突はほかのオブジェクトにさせる。同様に、衝突のときに各オブジェクトを細かく検討するのは計算が複雑になりすぎるため、現実的ではない。

そのため物理シミュレーションに関係するオブジェクトは、できる限り少ないファセットで全体的なボリュームに近づく、「簡略化された凸包」のようなものになる。すなわちあらゆる形を取りうる「包み込む箱」のようなもので、例えばトラックは大きな直方体に、ボーリングの球は単なる完全な球体に「近づく」。

►振る舞いと人工知能

オブジェクトやバーチャルな人物が動くようになったら、さらに高レベルな振る舞いを加えなければならない。風車は回り、人はまっすぐ走ることができる。しかしバーチャル世界を興味深いものにしたければ、風車は気象条件によって回る速度が変わってほしいし、人物はわれわれのそばを走ってほしいと思うだろう。

そのためには、制御プログラムを付け加える。一般に原因と結果の関係や要因は、容易に計算できる。例えば、風車が回る速さは風速に関係する。風速は穏やかな天候では1時間に2kmで、嵐が起こると次第に50kmまでいく。バーチャル世界の12の衛星を一列に並べて数分で嵐を起こすことも、また別の展開も考えられる。自分の世界の振る舞いを操作するためのアルゴリズムや計算規則は、制作者が自由に選べる。事前に準備した基本的なアニメーションは、キーフレームであれプロシージャルであれパラメータ化して、好きなように呼び出すことができる。

人物については、とくに多少の人工知能を組み入れる。程よい

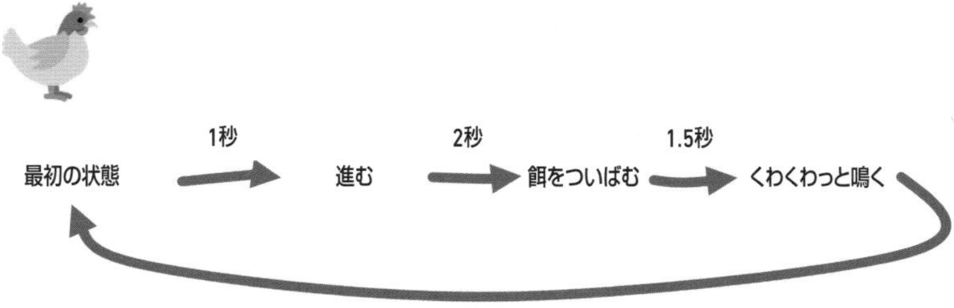

…▶状態マシン図によってモデル化した簡単な振る舞いの例

複雑さを保つ主体や人物の動きは、映画の台本や状態マシン図[★03]に似たものになる。

前ページの図のようなシンプルな例は、スクリプトの順番である。一連の動きは線上になっていて、ほとんど変化はない。ただ、アニメーションが単調に繰り返されるのを避けるために［そして世界中の雌鶏がちょうど同じときに鳴かないように］、アクションとアクションの間の時間が少し異なっている。一般にこうした小さな振る舞いは、そのバーチャル世界に含まれてはいるがプレイヤーが関わらない存在や、脇役のキャラクターに使われる。

しかもこのスクリプトは、ユーザーやほかの主体の存在を考慮せずに実行される。とはいえ多くの場合、振る舞いはもっと複雑であり、下の例に示すように外的ファクターに依存する。

こちらの振る舞いは、より緻密である。雌鶏はある状態から次の状態へと移行し、そのそれぞれをアニメーションで表すことが

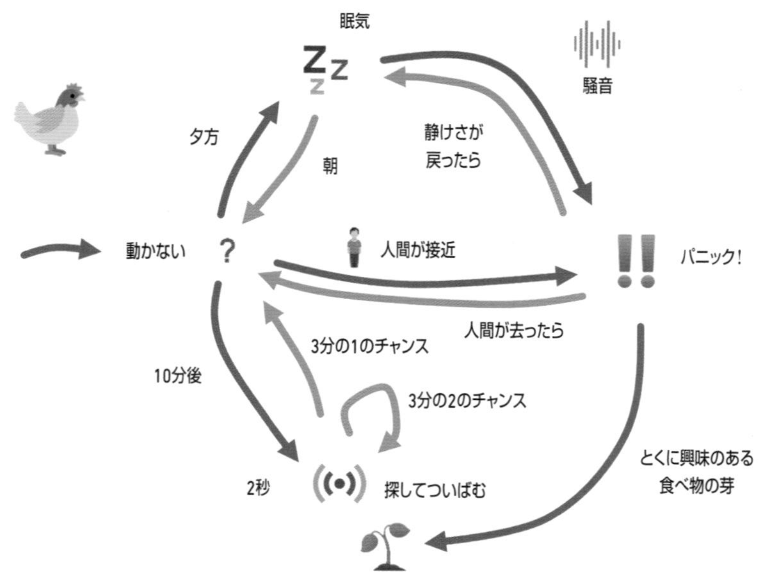

…▶外的な出来事を考慮し、不確定要素を入れ、枝分かれを利用することで、振る舞いは豊かになる。

★03…時間経過によるシステムの変化を表す、シミュレーションでよく用いられるモデル。変化の各段階は「状態」によって決まる。一方「遷移」は、トリガーや条件に従って、一つの状態からほかの状態に移ることである。

できる。状態はさまざまなトリガー、すなわち時間の経過、周囲の環境の変化、偶発的なきっかけ、出来事に対する反応などに従って、つながっていく。この種の振る舞いをモデリングするために、状態マシン図がよく用いられる。

3Dインタラクション

3D環境におけるインタラクションは、3Dユーザーインターフェースを構想する中で広く語られてきた。実際、バーチャル環境における3Dオブジェクトの操作は必ずしも自然ではなく、すべてがユーザーの行為に依存する。例えば、オブジェクトを選

…▶バーチャル環境における3Dインタラクション

ぶ、それを操作する、動かす、あるいはナビゲーションする、自ら環境内を移動する、などである。

前ページの図では、ユーザーが歯車を自分の手で[「自然に」]操作している。歯車は動き出すだろうが、それは3Dエンジン内の複数のスクリプトに呼応してのことである。歯車の部分の選択、作動開始、動きの実現[アニメーション、またはすでに見たリアルな物理的計算]。その全体が一つのインタラクションを形成しており、その中で歯車はユーザーのアクションによって動き出す。

3Dオブジェクトを手で直接操作する代わりに、コントローラーやセンサー、VR操作用インターフェースを使うこともできる。その場合、インターフェースはすでに存在しているアニメーションや計算済みのシミュレーションを始動させるよりも、むしろリアルタイムで力学的な動きをさせるために、より正確な命令[速度、角度……]を与える。例えば一つの歯車が動き出すと、その重さと速度によってほかの歯車も連動する。この計算は実行するのはより大変であるが、より正確である。

►3Dオブジェクトをどのように操作するか?

現実の生活では、われわれは手と目と完全な身体に恵まれ、絶えざる試行錯誤のおかげで幼いころから移動やものの操作を覚えてきた。例えば小さな子どもは何度も転んだ結果、2本の足で歩けるようになる。しかしデジタル環境内ではすべてを再構築し、人間が知っているものに最も近い感覚を与える必要がある。

比較として言うと、2D用インターフェースとして一般的になったマウスは、1990年代には使うのが難しく思われた。一部の利用者はそれを複雑だと思い、その機能性を理解するに至らなかった。しかし、マウスのアバター(化身)、すなわち2Dの画面上で移動させる白い矢印やカーソルが当時は新しい視覚フィードバックであったと考えると、現代では不思議な感じがする。

…▶バーチャル環境における3Dオブジェクトの操作

バーチャル環境にとっても問題は同じである。3Dシーンの中にいるという「現実不在」の中での行動に対して、どのようにしてユーザーに感覚フィードバックを与えるのだろう？　この空間の中にあって、どのようにしてユーザーに手の位置を教え、3Dオブジェクトの操作について情報を与えるのだろう？

没入ルーム内では、利用者は実際の自分の手を見る。それに対してVR用ヘッドセットを着ける場合は、ユーザーに自身がしていることを分からせるために、バーチャルな手または手を表すもの［点、矢印、円錐形……］を映し出さなければいけない。それがバーチャル空間内の手の位置に対する視覚フィードバックである。

バーチャルな立方体を手に取る行為は、なじみ深い普通の動作で実現できる。もしユーザーが片手にグローブをしてその動作をしたら［次ページの図参照］、このグローブに使われている技術やインタラクションの方法に従って、ユーザーは自分のバーチャルな手がバーチャルな立方体を扱うのを見ることになるだろう。そして立方体と接触したとたんに、おそらく振動さえ感じるだろう。これは「自然な」または「直感的な」といわれるインタラクションである。

…▶バーチャル環境における3D車台の試作品の操作

…▶バーチャルな手がVR用ヘッドセット装着者の実際の手を表している。

…▶VR用グローブを使った、バーチャル環境における3Dオブジェクトの「自然な」操作。

実際には、現実空間でセンサーに検知されたグローブとバーチャルなオブジェクトのぶつかり合いも、さらに操作のインタラクションも、すべて計算されている。グローブがオブジェクトに「触れる」と、ユーザーにこの衝突を知らせるために、感覚フィードバック[聴覚、視覚、触覚]が必要となる。

しかしこの方法は、計算時間もかかり、装置[グローブ]や開発[バーチャルな手]の負担が大きい。だから3Dインタラクションの開発者たちは「インタラクションのメタファー(隠喩)」、すなわちとくにグローブやバーチャルな手に代わる方法について思いめぐらせた。

とくに、立方体とぶつかるバーチャルな光線[レイキャスティング]をつくるのは簡単である。立方体をまとめた箱とこの光線との衝

3Dインタラクションのメタファー

3Dインタラクションの大部分はメタファー(隠喩)をベースにしている。そのうちの一つでバーチャル・リアリティでよく知られているのが、レイキャスティング、すなわちバーチャルな「レーザー光線」をユーザーの片手につなげて使うもので、選んだオブジェクトに遠隔操作によって照準を合わせることができる。小さなオブジェクトを狙うのはときとして難しいため、それらのうちのいくつかを人工的に「磁気を帯びさせ」て、たとえ照準合わせが正確でなくても、自動誘導弾頭のように自動的にそのオブジェクトのほうに光線をカーブさせることができる。

メタファーは、魔法の力に比較できるかもしれない。現実で実現するのは不可能だが概念的に意味があり、つまりバーチャル世界においては大きな効果がある。メタファーはまたインタラクションのタイプを統一することによって、コンピュータの開発費を減らすこともできる。

突が検知されると、光線はこの立方体に張り付き、ユーザーはそれを好きな位置に移動させることができる。ひとたび立方体が正確に位置づけられると、光線は離れる。指摘しておくと、こうしたさまざまなアクションは、ほかの操作のインタラクションでも再利用できる。

インタラクションのもう一つのメタファーであるミニチュアの世界(WIM：World in Miniature)は、ユーザーが世界をオブジェクトとして扱えるようにするために考案された。次ページの図で、ユーザーは地球全体を見てさまざまな風景の間を動き回り、興味のあるものを選ぶことができる。このケースは外心型メタファーである。

3Dインタラクションの分野では多くの革新が起こり、開発者の創造性が新たな操作インターフェースや感知装置を通して表れ

…▶ミニチュアの世界(WIM)の操作［外心型メタファー］。

►リアルタイムとインタラクティブになるまでの時間

ビデオゲームでは、プレイヤーが例えば扉を開くためにキーボードのキーを押すと、この二つのアクションはほぼ同時になされるものの、応答するまでの時間は完全にゼロではない。そのため完全にリアルタイムとは言えず、「インタラクティブタイム」と呼ぶ。

この種のアクションは瞬時になされるのが理想だが、バーチャル・リアリティにおけるインタラクティブタイムは十分な状況である。実際、人間は約100万分の15秒の小さなタイムラグは、脳の反応時間と同程度であることから許せるものとみなすからである。この計算時間がもっと長いと減速感があり、像がぎくしゃくした感じがするだろう。これはユーザーにとってかなり不愉快で不快である。

バーチャル・リアリティにおいて、インタラクティブタイムの短縮は長い間目標であり続けた。1980年代には非常に強力なコンピュータが一晩中かけて画像を計算したが、それと同じ操作が現在ではあっという間に実行される。このインタラクティブタイムに到達するためには、インタラクションまでの一連の処理[ユーザーの入力、中間計算、表示]を適切なタイムラグで計算できなければならなかったが、技術の進歩や人間の知覚に関する新たな知識のおかげで、それはすでに成し遂げられている。

ている。こうしたインタラクションは、多少ともツールの中で事前に設定されている。例えばVTK(Virtual Tool Kit)や、VR用ヘッドセットならばSteam VRなどである。VTKはミドルウェアで、オーソドックスなインタラクションを非常に簡単に実現できる。Steam VRは、VR用ヘッドセットのHTC Viveに対応するアプリケーションで、VTKよりも柔軟にインタラクションをプロトタイプ化することができる。インタラクションのスクリプトはUnity

ならばC++、ジャバ・スクリプト(Java Script)、C#で書く。

►バーチャル世界の中でどのようにナビゲーションをするか?

ナビゲーションというのは、バーチャル世界の中で旅をすること、言い換えればある点からある点へ移動することである。現実世界では乗り物や足を使うが、バーチャル世界ではインターフェースを使う。それはビデオゲームでマウスを使うようなもので、この多少とも意識的な操作が必要なナビゲーションはわれわれの日常の一部になっているが、バーチャル環境で実現するとなると複雑になりかねない。

VRでは、ナビゲーションに対応して移動する画面の表示は、バーチャルカメラによって行われる。3Dシーンの中に[カメラ座標により]位置づけられたバーチャルカメラによって、「視覚ピラミッド」と呼ばれるものの中に存在するオブジェクトのレンダリングをすることができる。

このピラミッドの外にあるオブジェクトは、何であれ3Dシーンの中には登場しない。「近景」[near]と「遠景」[far]はバーチャルカ

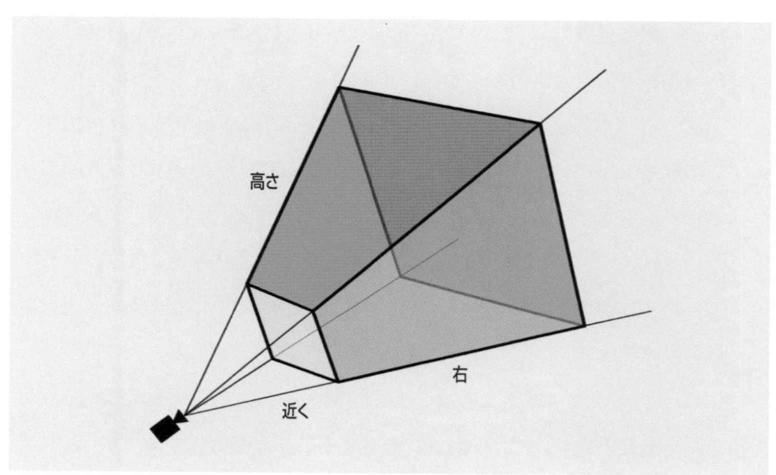

…▶バーチャルカメラと視覚ピラミッド

メラの領域の奥行を管理する。ナビゲーションをするには、このカメラの座標を変えるだけでよい。つまりカメラはユーザーの目を表す。ビデオゲームで有効な2Dマウスによるナビゲーションは、VRでは3Dナビゲーションにとってかわられ、3Dマウスかナビゲーション用インターフェースが必要になる。ユーザーが没入ルームにいる場合は、その人の頭の位置と方向がキャッチされ、バーチャルカメラに伝えられて、カメラがバーチャル世界の視覚化を開始する。

ナビゲーションが可能にすることの一つ目は、出発点から周囲を探ること、すなわち自分の周囲を見て、その空間についての概要を知ることである。事実、バーチャル世界を探検するのに、明確な目標を持つ必要はない。ユーザーはこの世界のオブジェクト

なくてはならないバーチャルカメラ

ちょっとしたプログラムによって、3Dシーンをある視点から視覚化することができる。その視点とは、バーチャルカメラの置かれた位置である。現実世界のあらゆるカメラと同様、バーチャルカメラにも、焦点距離、奥行、そして視覚化可能な範囲を定める「近」景、「遠」景がある。この景の範囲外はカメラには映らない。視点が動くことは、ユーザーの目が移動するのとやや似ている。

意味を広げると、バーチャル環境におけるナビゲーションを決定するのはカメラ・コントロールである。ときとしてバーチャルカメラの経路は前もって定められており、決まった像を見せる。また、カメラが3Dマウスのようなインターフェースによって移動する場合もある。インターフェースを動かすと、そのインターフェースの視点で見ることになるわけである。

バーチャルカメラはつまり二つの役割を持つ。ユーザーに見えるようにすることと、ナビゲーションをさせることである。

►バーチャル世界内のセレンディピティと自由なナビゲーション

『セレンディップの3人の王子』は、1557年にベネチアの印刷業者ミケーレ・トラメッジーノが出版したペルシアの童話である。この童話の中で、目的のない旅の途中で主人公たちにさまざまな出来事が起こる。状況や出会った人々に応じて物語がつくられ、知恵が生まれる。

VRのアプリケーションを手にしてバーチャル環境に入るときも同様である。初めてのナビゲーション経験は自由な探索であり、ユーザーが没入感を感じバーチャル環境に入り込むためには、3Dインタラクションはできる限り直感的でなければならない。

や場所に関する情報を獲得して、この空間について自らの知識を組み立てたいと考える。このようにバーチャル世界をぶらつくことは可能であり、ナビゲーションが偶然の発見(セレンディピティ)をしながら構築されることもある。

バーチャル世界の探検は、バーチャルカメラの動きを常に直接コントロールしようとする技術によって支えられている。それがナビゲーションを可能にする要素だからであるが、その代わり、開始されたバーチャル空間訪問を中断できること、ナビゲーション途中に提供される情報でユーザーに負担をかけないこと、ユーザーを疲れさせないことが重要である。

ナビゲーションが可能にする二つ目は、探求することで、これはシンプルであることも、的を絞ったものであることもある。その場合バーチャル環境は、補助、表示、看板など、さまざまな形の情報を提供しなければならない。ユーザーがバーチャル世界内に自らを位置づけるためには、認知地図のように、ビデオゲームから借りたメタファーが使われる。例えば、完成されたバーチャル環境に対応する地図上に、自分が点として表されているのを見ることができる。

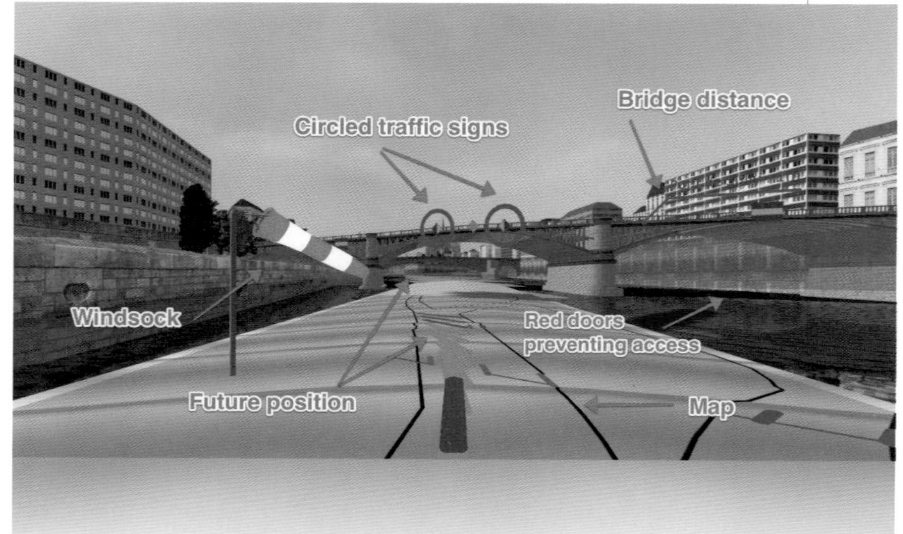

…▶船の操縦を学ぶことを目的とする、バーチャル環境内のナビゲーションのための視覚補助。CNRS・ユディアジック研究所・コンピエーニュ工科大学が制作（オー＝ド＝フランス地域圏・OSE-FEDERプロジェクト）

こうしたインタラクションは、VRアプリケーション用に用意されたシステムやインターフェースに応じて考えられており、すべての機器に適するわけではない。3Dインタラクションを考案するには、つまり装置やインターフェースを知ることが肝要である。次の章ではそれを取り上げよう。

第3章 機器とインターフェース

バーチャル環境を視覚化するためには、画像表示システムが必要である。コンピュータの画面と同じ役割を果たす、これは同様に、より完全なバーチャル環境を体験するためには、触覚や聴覚のような感覚フィードバックを用意することが不可欠である。

さらに、われわれがバーチャル世界とインタラクションができるようにするためには、操作やナビゲーションのインターフェースが自由に使えなければならない。それは、コンピュータのアプリケーションにマウスが不可欠であり、ビデオゲームのインタラクションのプログラムを利用するにはコントローラーが重要であるのと同じことである。

ディスプレイシステム

表示システム[英語では「ディスプレイ」]には大きく二つのカテゴリーがある。一つはひとりのユーザー用に考案された持ち運びができるもの、例えばヘッドセットのようなものであり、もう一つは携帯できず、より専門的で複数のユーザーに対応するもの、例えば没入ルームのようなものである。

►VR用ヘッドセットによる表示

VR用ヘッドセット、あるいは視覚用ヘルメット（ビジオカスク）は、ユーザーをバーチャル環境に浸して没入体験をさせるものである。これは携帯できるインターフェースとしてますます完成度が高まっており、立体映像[3Dビジョン]を見ることができるだけでなく、現実の物体の3D内での位置や方向をとらえ、コントローラーやセンサーを使った3Dインタラクションを可能にするコンポーネントも備えている。

VR用ヘッドセットにはそれぞれの目に対応する画面と、ときには音響のためのヘッドホンシステムが搭載されている。像は

LCD[液晶]またはOLED[有機発光ダイオード]の画面に表示される。視野を広げるために、二つのレンズがそれぞれの視線の延長線上に置かれ、その焦点面はスクリーンの位置に一致している[107ページ参照]。

3Dを生み出すために、二つの画面は右目と左目に異なる像を表示する。そうするとユーザーの脳は二つの目のズレを利用して、立体像を再構築する。正しく表示されるように、立体視法のための像は、レンズから来る視覚の歪みを補正しつつ、デジタル

…▶バーチャル・リアリティのための立体視法。重なった二つの像から成る。赤は片方の目用で、青はもう片方の目用である。色が違う二つのフィルター付き3Dメガネがあれば、アナグリフと呼ばれる立体視法で立体感を再現することができる。

▶3Dメガネで立体的に見る

立体像を見るための「3Dメガネ」にはいくつかのタイプが存在する[4章104ページも参照]。最も古くからあるのは赤と青のレンズのメガネで、これは左目用と右目用の二つの像から成るアナグリフ画像を立体像として見ることができる。このメガネが像をフィルターにかけて二つに分離すると、脳が立体像を再構築する。だからメガネがないと、3D映画の観客には「二重に」見える。「パッシブ式」と呼ばれるこのメガネは価格が安く、ときには使い捨てでさえあるが、いくつかの色は再構築しにくいという難点がある。

もう一つのタイプのメガネは「アクティブ式」と呼ばれるもので、それぞれの像の表示はグラフィックカードの出力と連動している。グラフィックカードは右目用の像と左目用の像を交互に計算する。そして送信装置がメガネに内蔵されているレセプターに信号を送ると同時に、レンズを封鎖する。つまり右目の像が表示されているときには左目はふさがれ、次にその逆になる。この立体視法で表示される像は、1秒に48コマである。これは平面視の映画でなめらかな動きを感じるのに必要な表示[1秒に24コマ]の2倍に相当する。

的に計算される。つまり立体感は2D像から得られる絶えざる構築物なのである。

1990年代初頭、VR用ヘッドセットは高価で重く、性能もよくなかった。現在では入手しやすく、軽くて有能になり、VRタイプの没入用コンテンツや、「360度VR」と呼ばれる360度の映画用に開発されている。そうした映画は360度視覚化されているが、インタラクションはできない[7章218ページ参照]。

ほんの数年で、多くのメーカーがバーチャル・リアリティ用のヘッドセットを構想し、それぞれ異なるものを生み出した。市場には現在三つのタイプのものが存在する。高性能のグラフィックカードを備えたコンピュータがディスプレイを管理するヘッドセット、スマートフォンを基礎にするヘッドセット、そしてコンピュータもスマートフォンも要らない、新世代の自立型ヘッドセットである。画質は画像計算力に関係しており、コンピュータと接続するヘッドセットは、当然ながら解像度の高い表示を提供する。しかし、スマートフォンも非常に良い感覚的体験を提供する。フェイスブックのOculus Goのような新世代の自立型ヘッドセットは、VRの利用をおそらく飛躍的に発展させた。

とはいえVR用ヘッドセットは利用しうる唯一のディスプレイ用インターフェースではない。実際、没入ルームはひとりまたは複数の利用者を受け入れることができる。利用者は必要な場合は立体視用メガネや、操作やナビゲーション用のインターフェースを装備する。

►没入ルームのディスプレイ

没入ルームは、場合によっては「CAVE™[★01]」とも呼ばれるもので[1章27ページ参照]、3人か4人の人間を没入度の高いバーチャル環境に置くことができる。これは多くの場合立方体や直方体の部屋で、その壁や床、ときには天井もスクリーンとして使われる。一般的には開放した空間であるが、閉じていることもあり、そうなると利用者は自由にあらゆる方向に体の向きを変えて、バーチャル環境を把握することができる。

一部のCAVE™のような部屋では、3Dメガネをかけた利用者が立体映像を再現できるようにするため、画像は各々の目に一つずつ、二重に投影される。とはいえこの立体視法の計算は部屋に複数の利用者がいても一つの視点しか考慮しないため、そのうちひとりだけが視点をとらえるセンサー付きのメガネ[視線追跡メガネ]をかける。こうしてただひとりの利用者のために立体映像が計算され、ほかの人々はできるだけ正確な立体映像を見るために、その

★01…Cave™は立方体の部屋で、この商標はキャロライナ・クルズ＝ネイラに帰属する。球状[ドーム]、円筒形その他の没入ルーム、さらに没入とインタラクションができる画像表示用の壁も存在する。二〇〇〇年代には「リアリティ・センター」についても語られている。

…▶側面3面と床1面の4面から成る没入ルームの構造(イメルジオン社)。

…▶インタラクティブな作品「人々のための岩に憑依する滝」。MORI Building DIGITAL ART MUSEUM EPSON teamLab Borderless。

人に近づかなければならない。

これは、部屋の仕切り上に映写することで、利用者を丸ごとバーチャル世界に浸らせるシステムである。こうした部屋は立方体の場合には2、3、4、5面、または閉じ込める場合には6面を持つことが可能である！　CAVE™内では、利用者が頭を回すと像がリアルタイムで再計算されて、その視点に応じた立体像が提供される。3D世界内や3Dバーチャル模型の周囲で、利用者は歩いたり身をかがめたり、回ったり、自由に動いたりすることができる。一部の部屋ではこうしてバーチャルな町を探検したり、エアバスの操縦室に入ったり、路面電車に試乗したり、外科室で何人

光のアトリエ［アトリエ・デ・リュミエール］

光のアトリエは没入ルームの好例だが、とはいえインタラクションを提供するものではない。それはおそらく次の段階だろう。ここは1835年にパリのプリション兄弟が鉄鋼工場を開いた場所であるが、完全な設備を整えて、没入型のデジタルなプロジェクションを実現した。芸術作品を非常に高レベルで解像することで際立たせており、まるでアーチストが創作した想像上の世界に完全に浸っているような印象を与える。没入的な視覚化には成功しているが、ナビゲーションはインタラクティブではなく、制御されている。見事な像が映し出され、訪問者は空間内の好きなところに移動できるが、それに変更を加えることはできない。

…▶光のアトリエでのデジタル展覧会「モネ、ルノワール……シャガール。地中海の旅」。

かでバーチャル手術をしたりすることができる……。身体の知覚は完全である。利用者は自分の腕や足を見ることができ、橋や建物の高さに驚くかもしれない。その場合、利用者は自分の身体の大きさを使って、距離やオブジェクトの大きさを見積もる。バーチャル世界では、実際の自分の身体によって、自分を見るのである。

立体音響レンダリングシステム

3D(立体)音響にはさまざまな可能性があり、聴覚はバーチャル・リアリティに非常に有益な感覚である。映画同様、音の環境は高度な没入に不可欠なものであるが、VRのアプリケーションでは重要視されない場合も多い。聴覚フィードバックは、われわれの周囲の環境や素材に関して、無意識的に絶えず情報を与えるものである[家具、石やコンクリートの壁、寄木やセメント、絨毯を敷いた床、開いたり閉まったりする窓やドアの存在、農村か都会かなど]。

IMAXの技術を装備した映画館では、それぞれの観客に多少ともリアルな感覚を得させるマルチチャンネル音響のおかげで、立

►バイノーラル・サウンドとは何か?

バイノーラル・サウンドは、われわれの耳が3D空間で知覚するはずのものを、ヘッドセット内で忠実に再現するものである。実際それぞれの耳は3Dシーン内の複数の音源からきた少し違う音を受け止め、脳はその音源を位置づける。これには複数の技術が存在する。実際の音をとらえて録音する場合は、その音をキャッチするときに、人間の知覚を再現するような方法で、人体模型の頭にマイクをセットする。しかしバイノーラル・サウンドを複雑な音の合成によって生成することも可能である。その場合、現実の音を録音する代わりに、エレクトロニクス音楽におけるシンセサイザーのように、コンピュータで音をつくりだす。

★02…Claude Forest, «Qui s'assoit où?», *Conserveries mémorielles*, nó12, 2012. *https://journals.openedition.org/cm/1070*

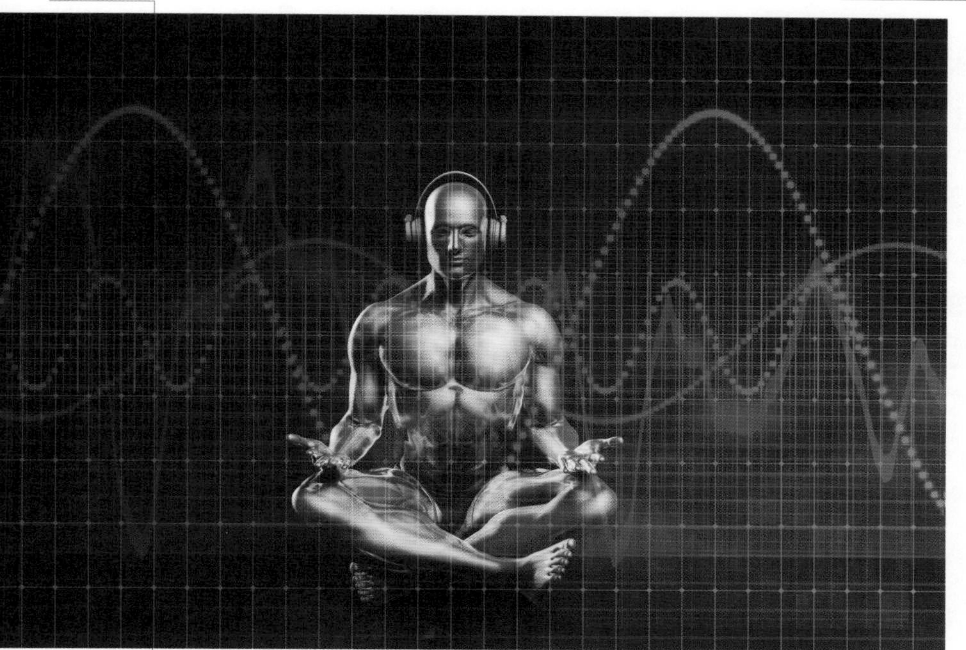

…▶バイノーラル・サウンドはユーザーを強い没入感に浸し、3D音響の音源の位置を感じさせる。

体音響レンダリングが可能である。より快適な音や映像を獲得するためには、「劇場の横幅の中央、縦の3分の1から3分の2の間の位置★02」に席を取るのがよい。個人用ヘッドセットをつけてバーチャル・リアリティを体験すると、それぞれの客の位置によって計算されたバイノーラル・サウンドのおかげで、音の空間化をさらに簡単に感じることができる[4章114ページも参照]。

バーチャル環境においては、オブジェクトが落ちて落下音がしたとみなされると、そのオブジェクトを囲む要素［吸音と残響の原理に従う］や、音の発出場所とユーザーの位置との間の距離を考慮しつつ、その音を再現する必要がある。

指摘しておくべきこととして、音響レンダリングの計算時間は、ユーザーまたは音源が移動すると長くなる。リアルタイムのナビゲーションのための中間的な解決方法は、音の合成を抑制し、音のデータベースを作ってシーン内のポイント地点に結び付け、適時にその音源を始動させることである。非常に離れた場所の細部のために3Dシーンではなく画像を使うことができるのと同様に［4章130ページの「ルアー」参照］、ユーザーがある範囲内を移動するときの3D音響を想定して、ナビゲーションを遅らせずにリアルタイムの印象を生み出すことができる。

皮膚感覚のためのシステム

ひとたび視覚フィードバックが得られると、バーチャルなオブジェクトに触れることが重要になり、そのためには触覚インターフェースを利用する。「ハプティック(触覚)」の語はギリシャ語の「触れる」から来たもので、さまざまな皮膚感覚をまとめたものであるため複雑である［4章113ページ参照］。このため触覚インターフェースには、一つまたは複数の感覚を人工的に再現する、複数のタイプが存在する。

一例として、動きを封じ、力でユーザーに反発するインターフェースを挙げよう。例えばユーザーがバーチャルなガラスの小瓶を片手で取ると、システムによってユーザーはオブジェクトの硬さや形を感じる。利用者はつかんだ手を閉じることも、バーチャルなガラスを突き抜けることもできないが、それは触覚インターフェースがあるからである。こうした力覚フィードバックのインターフェースには、メカトロニクスのメカニズムが必要になる。

触覚インターフェースのもう一つのタイプは、振動刺激を生み出して皮膚感覚を再現しようとするものである。皮膚にバーチャルなオブジェクトとの接触感覚を与えるこのインターフェースは、とくにビデオゲームで使われる。初めて登場したのは、ニンテンドー64(NINTENDO64)の「振動パック」や、セガ・ドリームキャストのもので、これは家庭用ゲーム機のコントローラーに接続して

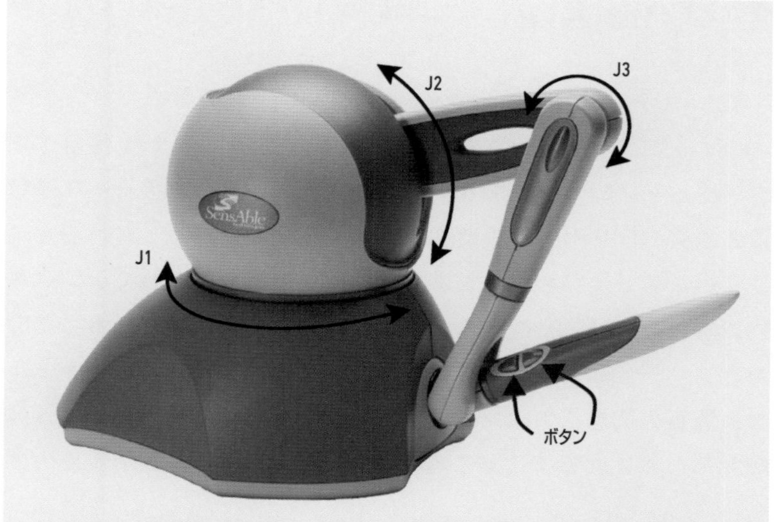

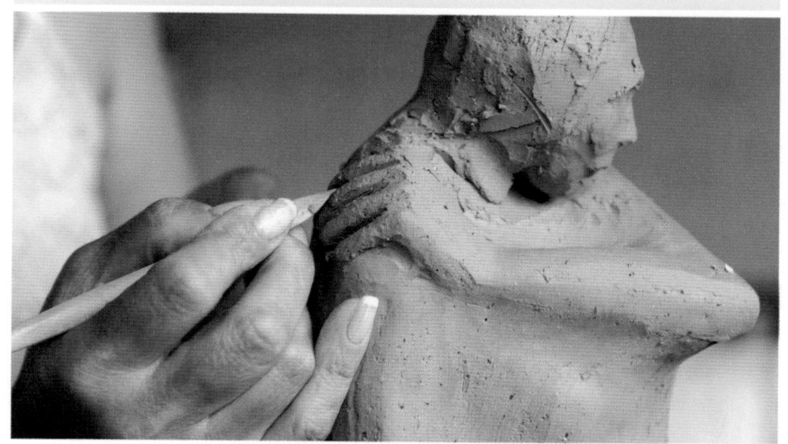

…▶ファントム［上］はバーチャルなオブジェクトと接触する点を持つ、力覚フィードバックのインターフェースである。彫刻の道具［下］が実際の粘土上の一点に触れることができるのと同じである。

振動を起こさせるキットであった。それ以来、振動フィードバックをコントローラーに組み込むことが一般的になっている。

接触、手触り、重量感、オブジェクトの位置等、再生したいことに従って、さまざまなインターフェースが皮膚感覚のさまざまな側面に応えている。バーチャルな要素の温度感に関しては、現在はまだ獲得は難しい。これは精神物理学という特殊な研究分野に属する。

3Dシステムズ社(元サンスエーブル・テクノロジーズ)の装置ファントム(Phantom)は、バーチャルな点に触れることのできる初期のインターフェースの一つである。このシステムは、バーチャルな接触点と触覚的「ペン」先との衝突を、早い時期から実現した。触覚ペンがバーチャルなオブジェクトにある程度の力をもってデジタル的に触れるたびに、逆向きの力がペン先にかかるのである。この力覚フィードバック技術によって、例えばユーザーはバーチャルな大理石の塊をこのペンで彫刻することができる。ファントムの触覚アームは回転するところが3か所あり、すなわち動作自由度

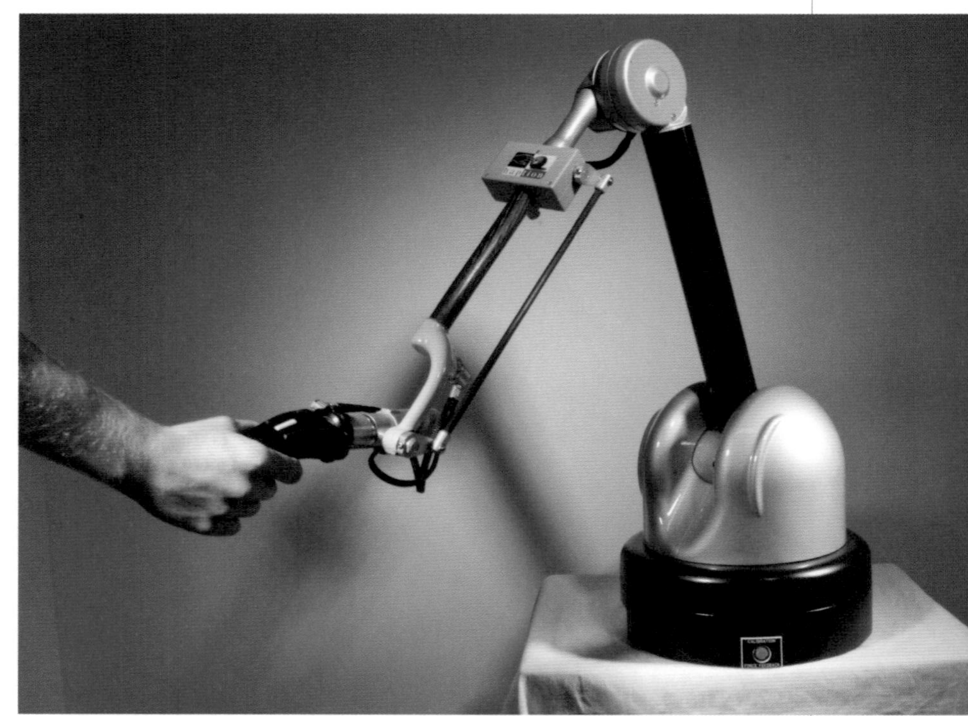

…▶アプシオン社のヴィルチュオーズ 6Dのアームは、6軸による高度な力覚フィードバックと広いワークスペースを併せ持つ。この触覚アームはとくに1:1の等身大のスケールの操作に向く。

は3である[J1、J2、J3]。

計算に関しては、触覚アームとバーチャルなオブジェクトとのおびただしい数の衝突を、画像を表示しながら管理できなければならない。触覚の計算ループは非常に高速でなければならず、さらにそれにレンダリングの計算ループが応じるため、二つの計算ループが並行して回ることになる。

ほかにもバーチャルなオブジェクトに触れることができる装置は存在する。例えばフランスのアプシオン社が、CEA[原子力・代替エネルギー庁]の研究を受けて商品化したものもある。こうした装置は、精密なアプリケーションや、大規模な力覚フィードバックを必要とするアプリケーションのために使われる。例えば加工業や航空産業では、メンテナンスのためのツールと動きがバーチャルでチェックされる。例を挙げると、ヴィルチュオーズ(Virtuose)は6自由度がある力覚フィードバックの触覚アームで、ファントムよ

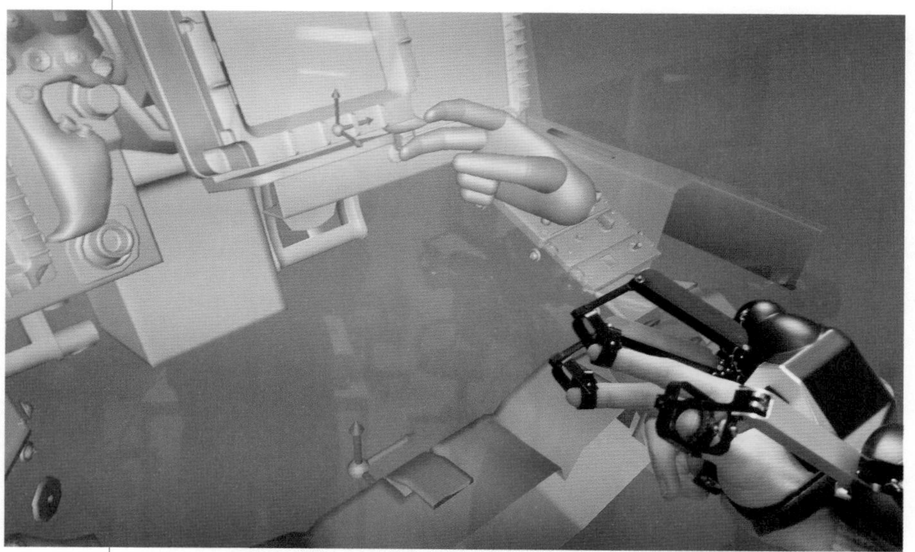

…▶アプシオン社が販売したHグローブ(HGlove)[図の右下]は、右手によるインタラクションが可能な触覚グローブで、3本の指に力覚フィードバックがもたらされる。ヴィルチュオーズ6Dの触覚システムとつなぐことができる。

りも広い範囲を探ることができる。

触覚グローブも存在する。これは触れた感覚を振動として与えるもので、ますます複雑になっている。力覚フィードバックを得るために、外骨格を組み入れるタイプのグローブもある。人間の手はそれぞれ違うため、外骨格は利用のたびに調整しなければならない。さらにこの調整段階で、センサーが現実とバーチャルの接触点を位置づけることができる。

しかし、この種の装置によって触れたものの質感を識別するのは、現在でも難しい。表面や全体の硬さ、熱さ、しなやかさは、触感フィードバックに関する研究にとって難問である。そのためマルチモダリティ［視覚・聴覚・触覚のフィードバック］を用いて複数の知覚方法を提供し、複雑な計算やシミュレーションを必要とせずに利用者を錯覚させることによって、感覚を与える。これは、次々と現れる道路の映像を遠景に置き、前景で俳優が動かない車に乗っているような、映画の追跡シーンに少し似ている。そのとき脳は、俳優が実際に動いている車に乗っているように錯覚する。

一つの感覚を別の感覚で置き換えることが可能なケースもあ

VRにおけるマルチモダリティとは何か?

VRのさまざまなインターフェースがさまざまな感覚を提供しており、それらは組み合わせることもできる。それがマルチモダリティと呼ばれるものである。さまざま知覚のモード——視覚、聴覚、触覚等——は、人工的な世界に本質的に存在する不足部分を補い合うことができる。例えばCAVE™内で蔓植物でできた吊り橋を渡る場合、立体視法がよく計算されていて、バーチャルな小石が立体音響やリアルな反響音を立てながら谷底に落ちれば、非常に印象深いものになるだろう。そうなると、単なる板の上を歩いていても、利用者は現実の状況で感じるのと同じようなめまいさえ感じる。

る。それは知覚補完[★03][7章223ページ参照]である。例えば目の不自由な人をバーチャル環境内に置いて力覚や触覚を与えることで、視覚を補うことができる。これはとくに1960年代のポール・バッハ＝イ＝リタの功績である。背中、腹、その他の身体の部分に力学的に触覚刺激を与えると、その人は視覚からくるべき情報を得ることができるのである。

インタラクションのためのシステム——トラッキング

バーチャル環境内のあらゆるインタラクションにおいて、ループ(繰り返し)ということが言われるが、それは、プレイヤーがジョイスティックや2Dマウスを使って絶えずアプリケーションに自分の位置情報を与えるビデオゲームに、やや似ている。結局のところ、2Dマウスは何の役に立つのかというと、現実空間内におけるある点の正確な位置をキャッチしてデジタル空間[2D空間でも3D空間でも]に伝え、感覚フィードバックを送り返すためのものである。これは入力インターフェースと呼ばれるもので、逆に像の表示システムは出力インターフェースである。

バーチャル・リアリティにおいては、インタラクションを可能にする「トラッキング」とよばれるシステムがあり、光学式カメラ[光学式トラッキング]、超音波カメラ[音響式トラッキング]、ときにはケーブル[機械式トラッキング]という手段を使って、ユーザーを「見る」。ユーザーの地理的位置情報はアプリケーションに伝えられ、そのアプリケーションは、例えばユーザーがバーチャルな壁の背後にいる、その手がバーチャルなドアを開ける、ユーザーが振り返る、などを理解する。こうした回転や移動の動きは規模や速度としてすべて細かく変換され、心地よい感覚フィードバックを生みだす。トラッキングの一つの欠点は、実際、インタラクションが耐え難いものになりうることである。システムがとても遅いと、

★03…Charles Lenay, *Énaction, externalisme et suppléance perceptive*, Internalisme/Externalisme, *Intellectica*, nó43, 2006.

…▶スポーツ活動の動きを追うための光学式トラッキング。生物力学の研究所内。

反応が十分な速さでなされない。それはマウスが「動かなくなる」と、コンピュータの画面上でフィードバックがなされないのと同じである。

一般の人々に最も知られているトラッキングシステムの一つはKinect［1章29ページ参照］であるが、現在では他のタイプのセンサーにとってかわられている。没入ルーム内の場合は、ヘッドセットを着けるのと同じことではあるが、測定空間ははるかに広く、その

…▶没入ルーム[イメルジオン社]での光学式トラッキング。核施設内の作業をシミュレートしている。

空間内を測定できる。さらに利用者は、Kinectでは機器の前にとどまっていなければならなかったのに対して、身体の向きを変えたり、移動したりすることができる。

現在最も利用されているトラッキング技術は、光学式トラッキングである。星のような反射する白い球を、ユーザーの身体の各所[頭、腕、手首、膝、くるぶし、足、あるいはナビゲーションのインターフェース]に付けると、光学式カメラがユーザーの実際の位置や方向を専用の

映画におけるトラッキング

トラッキングは映画でも使われるが、これはモーションキャプチャーといい、計算は撮影後に行われる。バーチャル・リアリティでは計算はリアルタイムで行われるため、より高い性能が求められる。

計算によって分析して3Dエンジンに送り、それがバーチャルな点と結び付けられる。この技術は、例えば生物力学の分野で動きをとらえるために用いられる。

没入ルーム内では、価格が安いわりに性能がよい音響式トラッキングも用いられる。これは超音波カメラによって検知するものであるが、正確さは劣り、また超音波は大気によって運ばれることから、温度にも敏感である。

このようにトラッキングは、ユーザーがコントローラー式のインターフェース［ワンド（Wand）、フライスティック（Flystick）……］を介してインタラクションをするためにも、またユーザーの視点をとらえて立体映像を見せるための計算をするためにも、不可欠なものである。

機器の費用

こうした技術の急速な進歩に対して、それを使う企業はうまく適応しなければならない。しかも機器はそれを売る会社が消滅したら放棄される場合もあるため、必ずしも安定的に利用できるとは限らない。次の図は、機器のタイプと価格の概要を示したものであるが、もちろんこれが全てではない。

バーチャル環境をつくってシステムを装備したければ、まずはユーザーに本当に必要なものは何かを見極める必要がある。単純なディスプレイで事足りるアプリケーションのために、高レベル

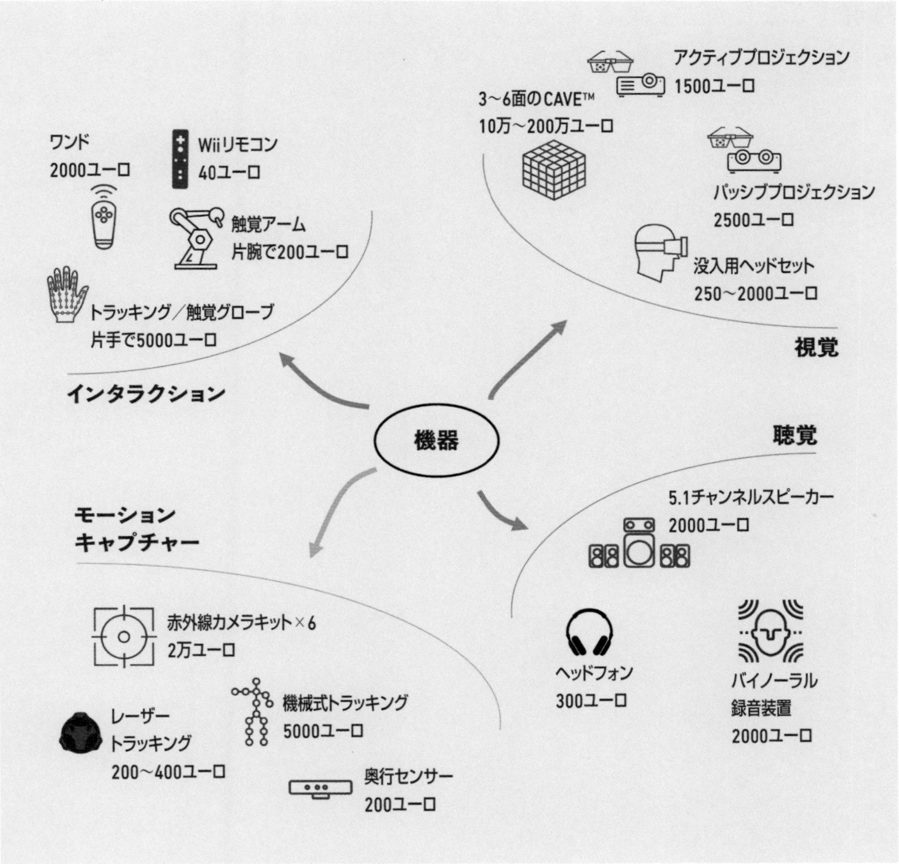

アクティブプロジェクション
1500ユーロ
3～6面のCAVE™
10万～200万ユーロ
パッシブプロジェクション
2500ユーロ
没入用ヘッドセット
250～2000ユーロ
視覚
ワンド
2000ユーロ
Wiiリモコン
40ユーロ
触覚アーム
片腕で200ユーロ
トラッキング／触覚グローブ
片手で5000ユーロ
インタラクション
機器
聴覚
5.1チャンネルスピーカー
2000ユーロ
ヘッドフォン
300ユーロ
バイノーラル
録音装置
2000ユーロ
モーション
キャプチャー
赤外線カメラキット×6
2万ユーロ
機械式トラッキング
5000ユーロ
レーザー
トラッキング
200～400ユーロ
奥行センサー
200ユーロ

…▶バーチャル・リアリティの装置の価格

の没入ルームを手に入れるのは無駄である。例えば自転車でぶらつくような単純なナビゲーションの場合は、ディスプレイの解像度は中程度で十分である。それに対して、ユーザーがペダルをこいで坂を感じるようにする場合は、バーチャル環境と連動する自転車、あるいはVRシステムと連携したセンサー付きの本物のペダル装置が必要だろう。

このようにユーザーの知覚は機器の選択に非常に大きな影響を与えるため、ユーザーがバーチャル環境の中で感じるものをよく理解することが重要である。次の章では人間の知覚とバーチャル・リアリティとの関係にアプローチして、それを見ていこう。

第4章

バーチャル・リアリティは われわれの知覚に どのように 適応するのか？

現実をバーチャルに移すことは、バーチャル・リアリティの大いなる挑戦である。実際利用者は現実世界の感覚［視覚、音、触覚、匂い、味覚］を与えてくれない環境の中で、やや途方に暮れかねない。とはいえバーチャル環境での体験は非常に印象的だ。それは実にリアルな感情や感覚を引き起こして、人間の記憶と知識に訴えかけるものである。

本章では人間の知覚の基礎について取り上げ、バーチャル・リアリティのシステムがもたらす人工的な感覚フィードバックがどのようなものであるかを、その限界や起こりうるリスクにも目を向けつつ見ていこう。

なぜ一部のVRアプリケーションはわれわれを体調不良にしたり、不快にしたり、頭痛を起こしたりするのに、ほかのものではこの種の影響は全く見られないのだろう？　バーチャル環境が利用者の知覚に及ぼす影響を理解したければ、人間の感覚を研究することが重要である。

2章と3章で見たように、環境を人工的にシミュレーションすると、人間の感覚をだますことができる。しかしこのシミュレーションが不完全であると、VR酔い［サイバー病とも呼び、乗り物酔いに近い］のような新たな問題を引き起こす。この人工的な世界は、われわれの視覚、聴覚、自己受容感覚［108ページ参照］、皮膚感覚、そしてやがては嗅覚や味覚に影響を与えて、本物の感情、本物の感覚を生み出すのである。

自転車でのちょっとした散策は感覚に満ちた体験である。風景や道を正確に見て、広がる地面に注意しつづけ、自転車をこぎ、目に見える要素に助けられて方向を定め、自転車のバランスを保ち、音を聞き、風や匂いを感じ、そしておそらく途中で採ったミントの小さな葉を味わう……。こうした感覚を一つ一つ分解しながら、今度はこの経験をバーチャル環境の中で実現していこう。

私が見るもの

バーチャル・リアリティではあらゆる感覚伝達手段が重要であるが、VRシステムによって最も開発されたのは、視覚である。

人間の視覚システムは、センサーすなわち目から脳に至る知的な連鎖であり、脳は受け取った信号を解釈する。脳と身体は、記憶、認知、空間表象、時間感覚、その他多くのデータを動員して、各人固有の包括的な一種の理解空間をつくりあげている。

そこでわれわれは、環境を目で見て理解するためのさまざまなプロセスを分解していこう。この分析によって、3D映像がどのようにしてリアルタイムで表示されて、人間の視覚システムが、実際の奥行、外観、密度や色を再構成することができるのかを、知ることができるだろう。

►色を見る

色というものはそれ自体存在せず、光と素材との相互作用の結果であるが、人間が色を見ることができるのは網膜錐体細胞のおか

►感覚伝達手段

「バーチャル・リアリティのシステムは、リアルタイムでのシミュレーションと、複数の感覚伝達手段を介するインタラクションを前提とするインターフェースである。この感覚伝達手段は人間の感覚、すなわち視覚、聴覚、触覚、嗅覚、味覚である」[*La Réalité Virtuelle* de Grigore Burdea, Hermes Science, 1993]

この定義は今なお真実である。われわれの感覚が情報を受け取ってそれを重ね合わせると、「人間の知覚」のメカニズムがこのデータを、意識的・無意識的に獲得してきたもの全体と関連づける。その結果、シミュレーションや人工的な刺激に感覚が与えられるわけである。

げである。その細胞には三つのタイプがあり、それぞれ白色光の波長の一部をキャッチして、基本の3色、すなわち赤、緑、青を脳に伝える。この色の知覚は人によって少し違うが、それは錐体細胞の数が人によって違うからである。赤緑色覚異常はこの細胞の問題から生じる。

►光度

光度は、光の強さをグレーのレベルで「分類」できる桿体細胞を通して感知される。この細胞は色ではなく光の量を感知し、弱い光度でも感じやすいため、夜でもものが見える。

►オブジェクトの形と位置

色や光度に加えて、3Dにおけるオブジェクトの形の認知も必要である。それには奥行の理解や、シーン内におけるオブジェクトのボリュームと位置の認識が関係する。われわれの目は視界の奥行、影、遮光、相対的な大きさ、眺望を休みなく見積もっているという意味で、視覚は能動的な現象である。

ものを立体的に見るには二つの目が必要で、そのそれぞれが視

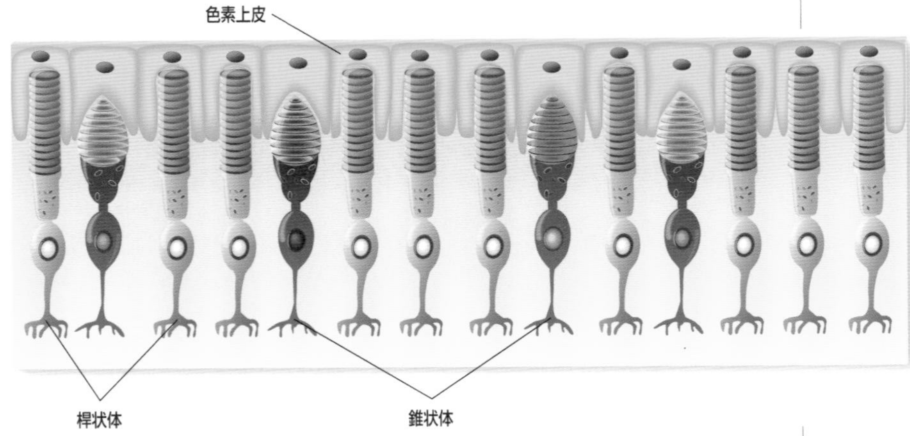

…►網膜の構造。錐状体細胞と桿状体細胞

輻輳のちょっとした訓練、あるいは目の体操

両手の人差し指を目の前に、1本目は15㎝、2本目は30㎝のところにおく。1本目の指を見る。2本目の指が遠景にぼんやりと見えるだろう。逆にして、2本目の指を見る。そうすると今度は1本目の指がぼんやり現れる。この訓練は目をほぐし、輻輳という現象を理解させる。画面上あるいはVRヘッドセット内で、輻輳は画面の前または後ろでなされる。これは絶えず同じ方法で刺激を与えることになるため、人間の視覚システムを非常に疲れさせる。

点としての任務を負っている。われわれの目が網膜上でそれぞれの像を2Dで感知すると、次に脳が3Dで再構成する。このとき、奥行に関するあらゆる手がかりを使えることが条件である。とくに脳は目とオブジェクトがつくる角度を解釈して、奥行を計算する。この角度を決める「輻輳(ふくそう)」と呼ばれるものは、移動するオブジェクトをはっきり見たり、逆に3Dオブジェクトをはっきり見ながら自分が移動したりするために、両目の筋肉の絶え間ない適応を必要とする。

調節というもう一つの現象もまた、それぞれの目で感知したオブジェクトの鮮明さに影響を与える。

斜視でなければ、輻輳と調節は無意識に行われる。それは生得的ではない能動的なプロセスであり、経験によって学ぶことで物の奥行を識別できるようになる。

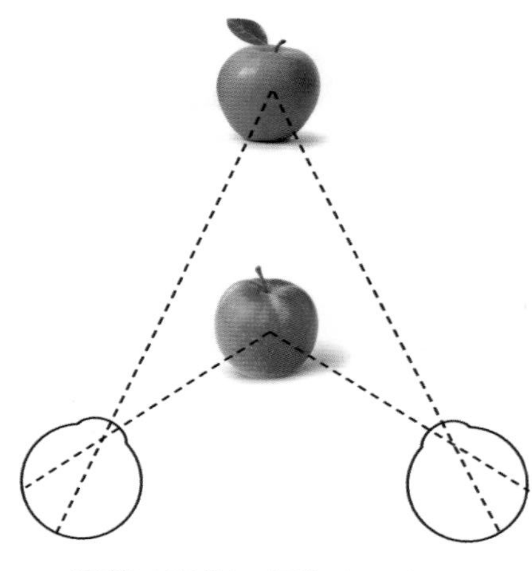

…▶輻輳角は目と物との距離によって変わる。

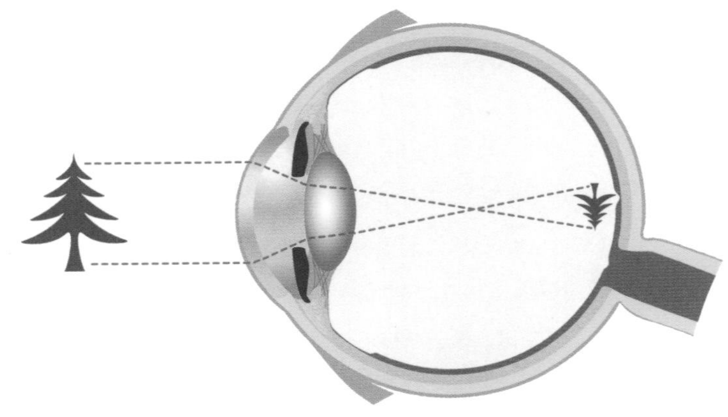

…▶調節の現象

►調節——目を閉じて!

調節という現象を理解するには、片目を閉じて自分の1本の指を凝視し、指を目に近づけたり遠ざけたりしながら、それをはっきり見ようと試みるだけでよい。見る物の鮮明さは目の一部の筋肉に依存する。その筋肉は水晶体を伸ばしたり緩めたりして、レンズのように作用させる。それは「マニュアル」カメラで焦点距離を変えるためにリングを回すのと同じことである。

►立体視、あるいは立体感の再生

いくつかの技術により、さまざまなタイプのメガネを使って、起伏のある光景を人工的に再現することが可能である。右目と左目は凹凸を再現するために異なる視点を持っているため、いずれの場合もそれぞれの目に適切な像を提供することに変わりはない。立体視用メガネにはさまざまなタイプがある[3章104ページも参照]。

▶**アクティブ式メガネ**——それぞれの目に対応する像を表示しながら、右目と左目を交互にふさぐ。

…▶立体視用メガネ

- ▶ **2色のパッシブ式メガネ**——アナグリフによる立体視では、同じシーンだが補色の二つの像を同時に表示すると、メガネが区別してくれる。

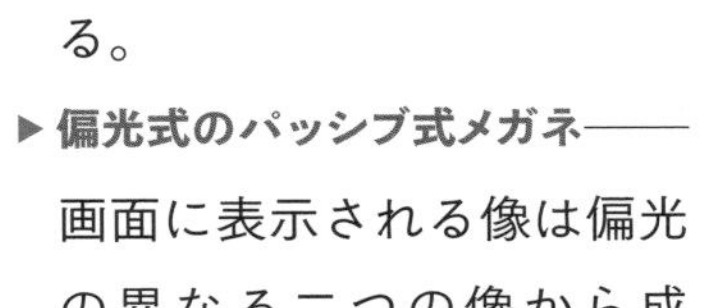

- ▶ **偏光式のパッシブ式メガネ**——画面に表示される像は偏光の異なる二つの像から成り、その偏光はメガネのレンズのそれと一致している。

こうした立体視用メガネでは、輻輳は画面の前か後ろのバーチャルな点上でなされる。それによって、例えば画面から怪物が飛び

…▶3D画面から恐竜が出てくるところを想像してほしい！

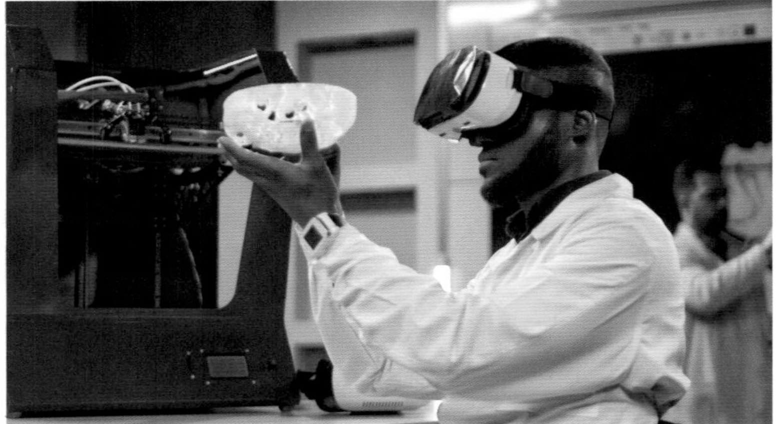

…▶メガネに用いられる立体視の原理は、VR用ヘッドセットによってますます効果的に利用されている。それは表示の正確さと像の明るさが向上したおかげである。

►サイクリング中の3D風景の知覚

VRにおいては、動きが連続しているように感じるには1秒に24コマの画像が必要であるが、一般に心地よさや理想的な滑らかさを保つためには1秒に90コマという頻度が好まれる。つまり、バーチャル・リアリティで立体映像にするときには、1秒につき180コマが求められる。像は片目ずつ違うため、求められるコマ数が2倍になるからである。

毎秒180の合成像を計算するには、像を不自然にしない強力なグラフィックカードが必要である。この問題はテレビゲーム界ではよく知られており、だからこそプレイヤーは「ゲーミング」と呼ばれるパソコンを利用する。これはリアルタイム3D計算に長けたGPU［Graphic Processing Unit］を搭載するものである。具体的に言えば、視点の違うもの［右目と左目］に対してそれぞれということで、合成像を2倍計算しなければならない。ときには影を出すために再計算が必要なこともある。計算力、立体視用メガネ、プロジェクター……。移動する自転車の周囲で現実世界に見られる光景を再現するには、あらゆることを考えなければならない。

出てくるような印象を与えられる。もしバーチャル・リアリティ内を散歩しているときに、恐竜が画面の前に飛び出したら、われわれの目は目の体操のときと同じように、視界の奥行を見積もりながら輻輳しなければならない。

►VR用ヘッドセットの視覚に対する影響

バーチャル・リアリティでVR用ヘッドセットを使って見るときの視覚に対する重大な問題の一つは、目に近い面での調節を絶えずユーザーに強いることである。このメカニズムは目を非常に疲れさせ[★01]、子どもの場合視覚システムの形成に害を及ぼしかねない。

ヘッドセットの二つの画面はユーザーの目に非常に近いところにある。あまりに短い距離だと調節が不可能なので、レンズをそれぞれの画面上に付け、目がこの画面上で調節して鮮明な像が得

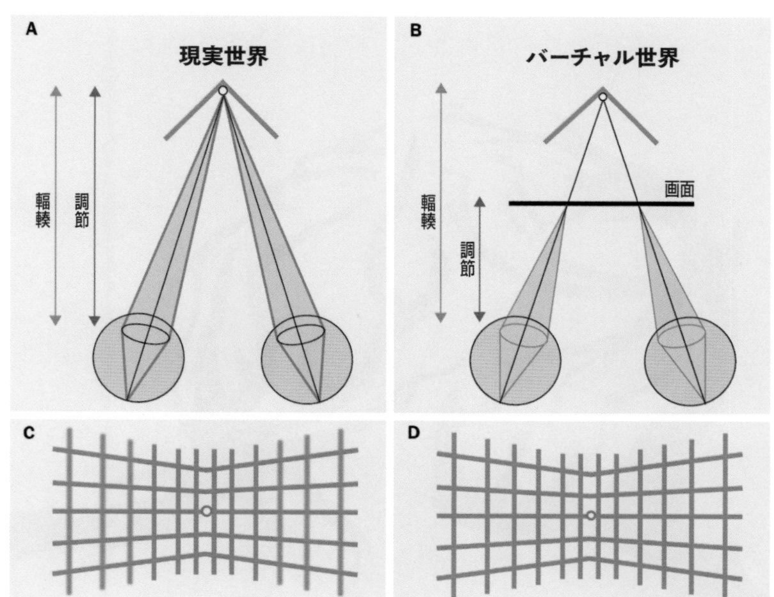

…►VR用ヘッドセット内では、ユーザーの視線は目に近い画面上に表示された点に固定される[B]。だから調節は現実世界よりも短い距離でなされる。一方、網膜像は普通焦点から離れたところは不鮮明に示す[C]が、バーチャルでは完全に鮮明である[D]。

★01…Laure Leroy, *Diminution de la fatigue visuelle en stéréoscopie*, ISTE éditions, 2016.

られるようにしている。その代わり、輻輳点は画面の前か後ろに位置することになる。ユーザーが3Dシーンや3Dオブジェクトを見るとき、その奥行はさまざまだからである。

現実世界において調節点と輻輳点は同じかほぼ同じであるのに対して、ヘッドセット内では異なり、見るものも二重になる。そして凹凸が目立てば目立つほど、目の疲れは増す。

►錯覚

しかし視覚システムはわれわれのセンサー、すなわち目が知覚できるものにとどまるものではない。われわれの記憶、知識、個人的な気質もまた視覚に作用し、ときにはそれをゆがめたり大きく左右したりする。肝心なのは現実や想像の世界を模したバーチャル環境を人工的に再現することであるため、こうした経験に基づく知覚は無視できない。下の図では、われわれの個性や気質によって二つのタイプの顔を見つけることができる。

…▶目の錯覚の例。木の中に二つの顔が隠れている。

目の錯覚や視覚に関する経験から、われわれが何を見るかは自分の注意力にも関わっていることが分かる。イリュージョンをつくり出すマジシャンは、この視覚の特性を利用するのに非常に長けている。バーチャル・リアリティのアプリケーションでも同様で、オブジェクト、光、色を争うように変えて、利用者の注意の方向を誘導することができる。例えば、運転のシミュレーター装置で速度感を変えるには、像をどんどん速く表示し、かつ音量を上げればよい。

私の身体が知覚するもの

移動したり、行動したり、ものを操作したりするとき、われわれの身体は絶えず刺激を受ける。自転車での散策のときにも、いくつかの現象が生じる。

- ▶内耳が垂直軸との関係でズレを教えてくれるため、われわれは自分の身体を垂直にしたり、身をかがめたりすることができる。脳はこの情報を目や四肢、皮膚から送られた情報と重ねて、われわれにフィードバックする。
- ▶われわれは全身にある自己受容感覚器のおかげで、自分の腕や脚が動くのを体の中心との関係で感じることができる。自己受容感覚は、一部の四肢の位置や移動を感知できる。

実際内耳には身体と頭の直線加速度と回転角加速度を検知するセンサーがあり、前庭神経を介してそれを脳に伝える。耳のこの部分は、すでに記した自己受容感覚を担当する。身体が動くと、頭はその方向に合わせて、この動きの回転、移動、加速度や速度というあらゆるパラメータを、内耳に検知させる。

没入型のシミュレーションの途中やVR用ヘッドセットをして

自己受容感覚とは何か

ラルース辞典によると、「自己受容性の」という語は「筋肉や関節から来る動きや姿勢に関する情報を感知する、神経システムの感覚についていう」。つまりこれは、人間に自分自身の身体を認識させる複雑なメカニズムである。

いるときに吐き気がしたり胸や頭が痛くなるのは、われわれのセンサーと脳が「感覚の対立」と呼ばれるズレを感じるからである。この身体からのシグナルはVR酔いまたは「シミュレーター病」なるものに相当し、何かがうまくいっていないことをわれわれに伝える。現実世界で見られるよく知られるズレの例は、船酔いである。船上で身体は揺すられるが、視覚的には脳はこの情報を受け取らない。もし船上ではなく直接波の中に入り込めば、われわれの身体は正しい情報を知覚し、気分が悪くはならないだろう。

VRでは、例えば、バーチャル世界で一つの現象が起こったことを脳に通知する視覚と、その出来事は現実世界で起こったことではないと知らせる自己受容感覚との間で、対立が起こりうる。運転のシミュレーション装置［次ページの図参照］で、ユーザーが急にブレーキをかけることを想像してみよう。像は突然固定される。しかし運転者の身体は、乗り物が止まったことを知らせる振動をまったく感じない。身体からのメッセージが何もないため、運転者はこのブレーキに対する準備ができない。自己受容感覚は感覚細胞を介して、土踏まずの一部に圧力がかかる、筋肉が収縮するといった徴候を何も与えない。この不一致、この感覚の対立が、気分の悪さ、不快、嫌な感じという人間の反応として表れる。

知覚と自己受容感覚とのズレは現実世界でも見られる。遊園地のメリーゴーランドであれば、回転やぎくしゃくした速い動きに耐えられない人に起こりうる。視覚システム、前庭系システム、自己中心的システム[★02]という三つのシステムは、運動感覚［動き］に関係する知覚情報をわれわれに与えるが、集められた情報がこれらのシステム間で異なると、「VR酔い」になりうるのである。

そのためバーチャル・リアリティは適切な運動感覚を提供して、そうしたことを回避しようとしている。飛行シミュレーションなどのシミュレーター室では、現実の動きを一部再現して、ユーザーに運動感覚を与えている。

バーチャル・リアリティのインターフェースは、動きと位置のセンサーを内蔵して、ユーザーの身体をシステムによって「見る」。例えばWiiリモコンやKinectがそうである。モーションキャプチャーの装置としては、非常に高性能だが高価ではない赤

★02…自己中心的知覚システムは、自分自身を中心として空間認識をさせる。つまり基準はユーザーである。

…▶コンピエーニュ工科大学・CNRS・ユディアジック研究所の没入ルーム［オー＝ド＝フランス地域圏・TRANSLIFE-FEDERプロジェクト］。

…▶動きを感じさせるジャッキ付きの飛行シミュレーション装置。

外線カメラもある。このカメラとその的になるものを組み合わせて、インタラクションの計算に役立てる。例えば、バーチャル環境内におけるユーザーの身振りを解釈するコントローラーとともにVR用ヘッドセットを使えば、ユーザーは移動したりオブジェクトを操作したりすることができ、バーチャル空間の中で動いているような感覚を得ることができる[3章092ページ参照]。

私が聞くもの

人間の聴覚システムは人間の耳と結びついている。目と同様、このセンサーは神経、すなわち聴神経を介して脳に信号を送る。聴覚システムは、外耳、中耳、内耳に分かれる。耳はわれわれが感知する音の空間的な出所について、われわれに一部情報を与えてくれる。

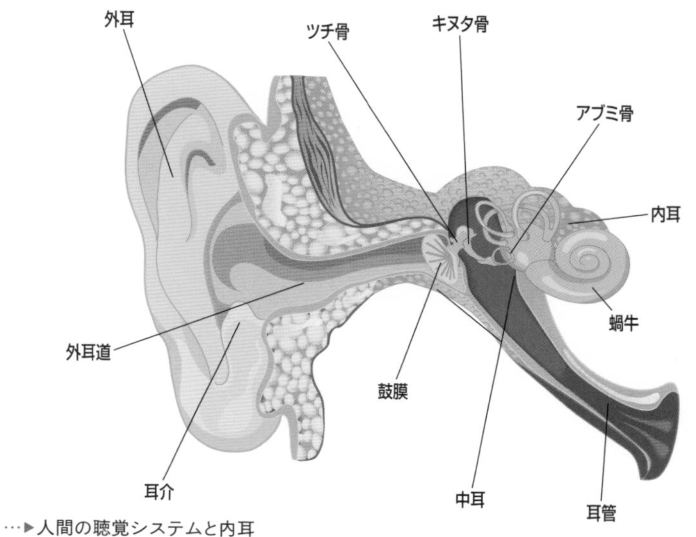

…▶人間の聴覚システムと内耳

人間は音を3次元で聞く。それを助けとして、われわれは本能的に自分の周囲の空間を組み立てることができる。われわれの声は音波を送り、その音波はさまざまなエコーとともに戻ってくる。これによって、材質に関する情報が得られる［無人の部屋か人が大勢いる部屋か、絨毯など吸音性のものがあるかないか］。人間の聴覚システムは、このようにして音源の位置を分析する。誰かが耳元で囁く、鶏が遠くで鳴く、背後でドアが乱暴に閉められる……。このような例をわれわれはすべて知っているし、気づかないうちに日常的に経験しているが、こうしたことに助けられて、自分の位置を知ることができるわけである。

3D音響、没入感のある音、音の臨場感、空間オーディオ、音のイリュージョンなどについて語られているが、それらはスピーカーや特別なイヤフォンのおかげで実現することができる。それはわれわれが自然に聞いているものを豊かにするものであり、アーチストもたびたび利用している。

没入感を与える技術には大きく2系統ある。3D音響をシミュレーションすれば、現実世界で知覚する、反響、吸収、伝播などの音の効果を再構築することができる。

第1のアプローチは、部屋を獲得して[コンサート室、没入ルーム、個人宅のリビングルーム]、その部屋の中に複数のスピーカーを置くことである。そしてそのスピーカーで「表示」、すなわち録音した音や合成した音を再生する。例えば3D音響を装備した没入ルームや、テレビを設置した3Dの部屋[ホームシアター]がこれにあたる。この方法だと、複数人で聞くことができる。

二つ目はバイノーラル・サウンドによるアプローチで、これは個人向けである。例えばソニーのヘッドフォン「360リアリティ・オーディオ」がそうである。こちらはユーザーにさまざまな場所[スピーカーの位置]から来る音を提供するのではなく、録音する状態で聞くであろうものを直接提供する。ではそのバイノーラル・サウンドは、どのように生み出されるのだろう？　そのためには特別な録音が必要である。

►自然なバイノーラル・サウンド

これはユーザーが現実生活で聞いているのと同じ音を録音することである。そのためには頭[人体模型または人間]に二つのマイクロフォンを付けて、二つの別々のトラックを録音する。このように自然にキャッチした音から、脳が空間を再生する。しかし空間の音を変更することはできない。

►合成バイノーラル・サウンド

こちらは音は録音しない。頭と体の形によって左右の耳で異なって聞こえる音を、音源から出発してシミュレーションまたは計算をするのである。これはHRTF[Head-Related Transfer Function／頭部伝達関数]の測定から始まって、耳の中で聞くような音を再創造するものであるため、大きな可変性があり、各個人への適応、無限の修正が可能である。

私が触れるもの

皮膚感覚は世界を感知し理解するために重要なものである。皮膚には物体の硬さ、形、質感[柔らかい、ざらざらしている]、温度、変形[例えば猫を撫ぜたとき]を感じるセンサーが備わっている。この極めて高性能な生来のセンサーに加えて、われわれの手は3Dオブジェクトの形を理解する能力も有している。

人間の手は土をこねる陶芸家のように、膨大な感覚を直感的に感じる。とはいえバーチャルな土となると、どのように扱うのだろう？　バーチャル環境の中で、どのように猫を撫でることができるのだろう？

そのためには、ユーザーはインタフェースを装備しなければな

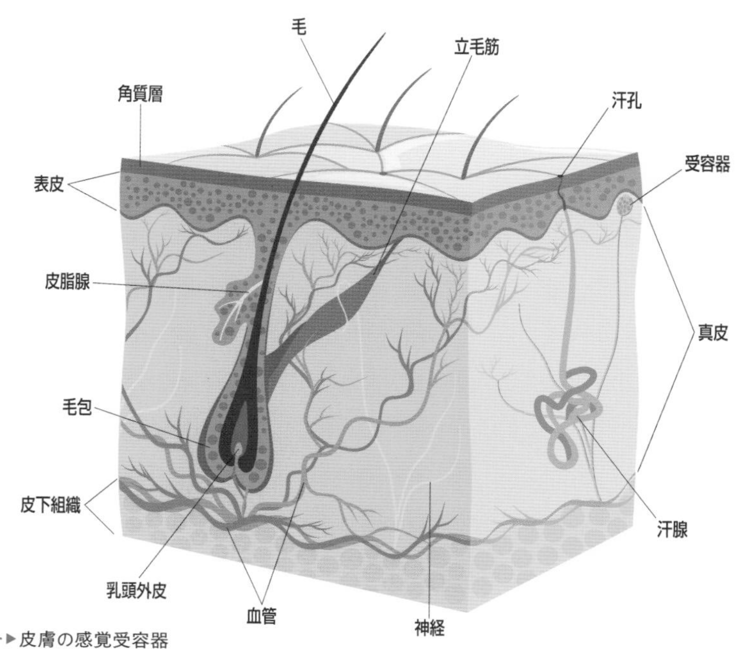

…▶皮膚の感覚受容器

…▶皮膚感覚

らない。そのインターフェースは、感覚を人工的に合成して、存在しないものを触っているような錯覚を与えるものでなければならないが、触覚インターフェース[3章067ページ参照]によって、そのようなバーチャルなオブジェクトの硬さや形を感じることができる。

触覚インターフェースを考案するためには、手で行いうるさまざまな行為を何年もかけて研究しなければならなかった。こうした研究は精神物理学の分野に属する。

触覚用のシステムの開発は、ゲーム愛好者向けの振動を起こすコントローラーから始まった。それからあらゆる種類の効果に関心が持たれ、その各々のためにインターフェースを生み出さなければならなかった。一つの触覚インターフェースであらゆる皮膚感覚を感じさせることはできず、それぞれが一つの感覚をもたらす。こうしたインターフェースは以下のように分類することができる。

- ▶力覚フィードバックのインターフェース——硬さの感覚[加工業で使われる]
- ▶力覚フィードバックのない接触フィードバックのインターフェース[スマートフォンの振動のようなタッチ効果]
- ▶二つのフィードバックを組み込んだインターフェース[力覚フィードバックと接触フィードバック]

現在では、手が一つだけでなく二つの接触点を持つことが可能で

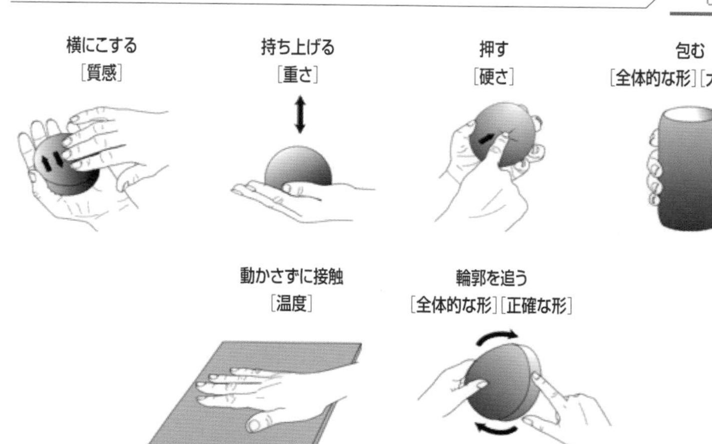

…▶皮膚感覚に関する予備作業［クラツキーとレーダーマンによる。1987年］

ある［下図の指によるように］。また、多くの触覚刺激器を組み入れた上着によって、身体にフィードバックを感じさせることもできる。とはいえ触覚グローブはまだ完全に実用的なものにはなっていな

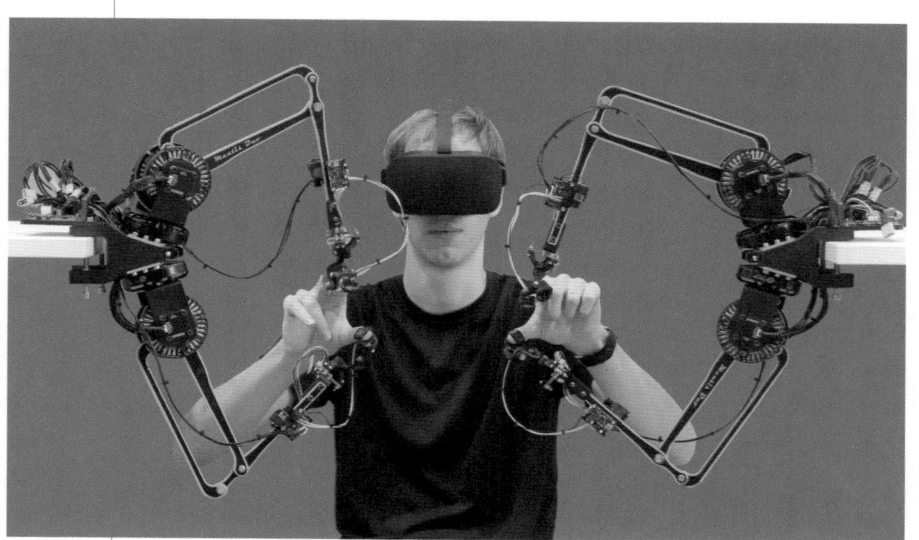

…▶センマグ・ロボティクス社による力覚フィードバックのある触覚インターフェース。2本のロボット・アームによって、ヘッドセット内に見えるバーチャルなオブジェクトに触ることができる。

では、バーチャル環境で猫を撫でられるか？

猫の柔らかい毛、温かさ、頭や体の形は、現実で感じるには単純なことのように思える要素である。しかしバーチャル世界となると、ややこしい！　たしかに、触ることのできない動く3Dモデルにグローブを近づければ、バーチャルな猫に触れて小さな振動を感じることはできる。力覚フィードバックシステムのおかげで、そのオブジェクトの輪郭を感じるようにすることもできる。その代わり毛の柔らかさや温かさに関しては、何人かの研究者がオブジェクトの質感を考慮しつつ撫ぜることをモデル化しているとはいえ、バーチャル・リアリティのインターフェースで再現するにはいまだほど遠い。バーチャルな猫を愛撫することは、つまり触覚によるインタラクションの考案者にとって、まさに一つの課題であり続けているのである。

いため、手全体に複数の感覚を与えるには不十分な感じがする。人間の手は極めて感じやすいため、そうしたグローブをしても、得られる感覚は現実に比べて少なくなるだけだからである。

私が嗅ぐもの

バーチャル・リアリティにおける視覚、聴覚、触覚のフィードバックは幅広く研究されてきたが、嗅覚についてはまだほとんど研究されていない。利用可能なインターフェースの数は限られており、これから見るように、フィードバックの可能性も同様である。

　鼻は香りや匂いを感知する感覚器である。それにしても、匂いとは本当は何なのだろう？　ラルース辞典ではこう定義されている。「人が嗅覚によって感知する、何かから発する消えやすい発散物」

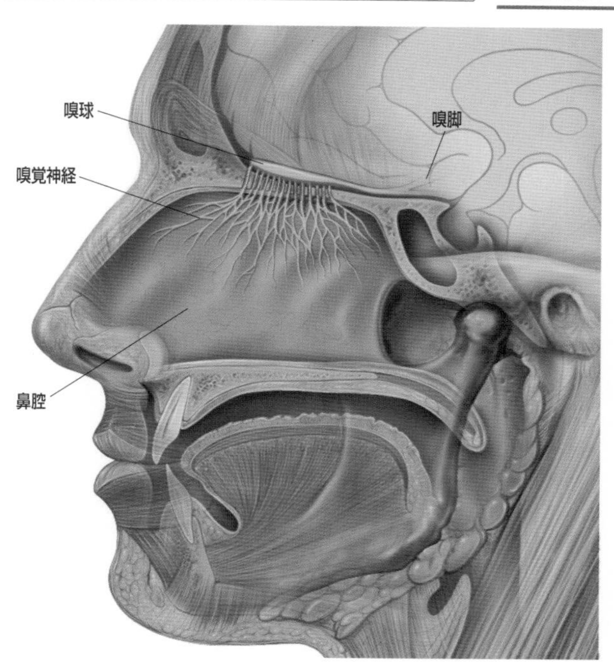

…▶嗅覚システム

匂いは、鼻窩の天井に位置する嗅覚受容システムによって感じられる[嗅上皮には嗅覚ニューロンが存在する]。匂いは分子から成り、空気によって運ばれて受容体と接触する。鼻毛や繊毛はさまざまな匂いや香りのエッセンスを検知し、嗅球から一部の皮質へインパルスを送る。これによりエッセンスを「分類」することができる。受容体の前を通る空気の流れは普通弱いため、われわれはよりよい検知のために強く嗅ぐ。エッセンスの識別は経験や記憶、匂いに結び付いた感情のおかげでなされる。

実際、家やいとしい人、何らかの状況の思い出をふいに蘇らせる香りを認めて、突然感情にとらわれることは誰にでもあるだろう。香水師や作家はこの嗅覚システムの能力をとてもよく知っている。バーチャル・リアリティにおいても匂いの再現は感動を生み出すための重要なポイントであるが、つくり出すのは非常に難しい。一例として松の匂いのスプレーがあり、これはプラスチック製のクリスマスツリー用に購入された。

香りを人工的に再現するには現実的な素材が必要だが、これは「匂いの貯蔵」の問題を引き起こす。香りを生成させる物質は、バーチャル環境体験でできる限り多くの匂いを感じられるように、カートリッジという形で提供されるべきだろう。しかしインターフェース用のカートリッジの数が非常に限られていることから、嗅覚フィードバックはそこまで複雑にはできない。

匂いの合成の試みはいくつか存在している。ウェブ上に匂いに関するタグをつくれる装置[1998年、フランステレコムとドイツのルーツ・テクノロジーズ社、イシプカ研究所の協力による]から、香りによる通知[ミント・デジタル研究所が開発したオリー(Olly)]、もっと最近では、香りのめざまし[メゾン・ベルジェ・パリ社のセンサーウェイク(Sensorwake)]まで。

2016年にユービーアイソフト社は、ビデオゲームのサウスパーク(South Park)で遊びながらおならの匂いを感じるVR用マスク、Nosulus Riftを打ち出した。インターフェースで現実感を出すこのゲームでは、プレイヤーは鼻の下にマスクを着ける。主人公は強烈なガスで敵を打ちのめす少年である。

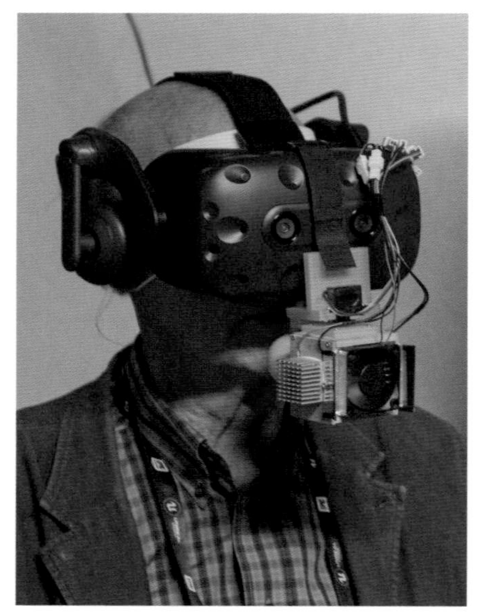

…▶嗅覚フィードバック付きのインターフェースを研究する研究所の試作品。バーチャル環境で匂いの錯覚を生み出すために、視覚フィードバックと一体化している。

もう一つ革新的なのはフィールリアル(Feelreal)という感覚を感じるマス

クで、225種類あるうちの9つの匂いのカプセルを選ぶことができる。しかしこのカプセルはFDA［アメリカ食品医薬品局］で問題になり、アメリカでの販売禁止の直接の対象になった。「FDAはこの種の気化装置はすべて人体に危険であるとみなす。フィールリアルのようなマスクは技術的に見て蒸発装置であるため、われわれは大量生産・販売の許可を得るために、新たに一連の商品テストや改良を始めなければならなかった★03」

★03…http://www.vrplayer.fr/playstation-vr-feelreal-psvr-pcvr

私が味わうもの

バーチャル環境の中で味を感じることのできるシステムは、まだほとんど存在しない。メイン大学のニメシャ・ラナシンゲが率いる研究者チームは、バーチャルな食べ物や飲み物の味を合成して

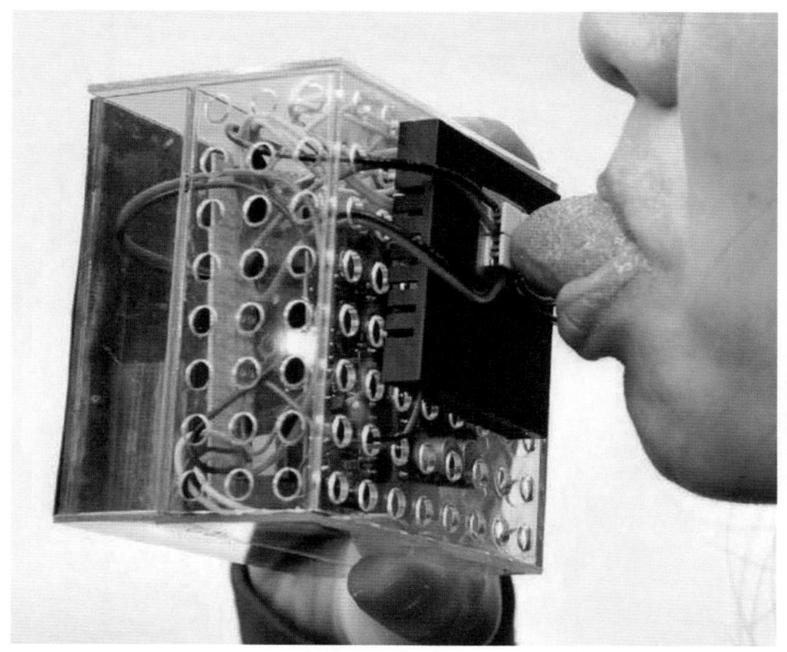

…▶研究者ニメシャ・ラナシンゲが考案した味覚フィードバックのインターフェース試作品。

舌で感じることのできる、デジタルシミュレーターを開発した。その装置は銀の小さな電極を舌の先端に付けるというもので、半導体の温度と電流を交互に軽く変えると、味覚の受容体は四つの主要な味覚である、塩味、甘味、酸味、苦味を生み出すシグナルに騙されうる。

本当にそれを信じる?

►没入感

これまで見てきた感覚のフィードバックは、それだけでは利用者にバーチャル環境を信じさせるには十分ではない。認知科学、心理学、さらには哲学分野における研究成果のおかげで、VR体験がどのように強化されているかを見ていこう。

小説やフィクション、あるいはバーチャル世界に没入することは、人が完全に物語に浸りきることを意味し、その状況は利用者にとって現実になる。そうした場合に感じる感動は、明らかに現実のものである。自転車での散策の例をとると、この経験を映画や文学的な記述で味わうことはできるし、その動きや語りのリズムに浸ることもできる。しかしバーチャル環境であれば、自分の方向や速度、道を変更することができる。つまり物語はインタラクティブになる。さらに、自分

…►VR用ヘッドセットによるサイクリングの体験。

の身体で感覚を感じることができるし[視覚、聴覚、自己受容感覚]、もちろん断崖の淵を通るときのめまいのような感じや、坂を上るときの重力の効果も感じる。

この没入は、映画や演劇の鑑賞者が感じるものと近い。悲劇では、観客は悲しんだり絶望したりすることがあるが、さらなる一歩はバーチャル・リアリティとともになされる。例えば映画『マトリックス』で、主人公が脳の刺激による経験をしたときがそうである。それは究極の没入であり、実際の身体はもはや刺激を受けない。

哲学者モーリス・メルロ＝ポンティは主要著書『知覚の現象学』の中で、身体の役割とその人の行動は、世界を知覚するために非常に重要であると言っている。例えば、道が上り坂であることを感じるためには、自転車をこぐ私はより力を出さなければならず、それによって私の身体は地面が平らでないことを知るのである。

バーチャル・リアリティにおいては、この考えはインタラク

知覚と行為のカップリング

心理学や哲学でよく知られているこの概念によれば[モーリス・メルロ＝ポンティの『知覚の現象学』参照]、扉の背後に空間が存在することを理解するためには、扉を開けなければならない。壁が堅固であることを納得するためには、それにもたれかからなければならない。つまり、行為は世界に対する理解を構築する。例えば、私は自分の脚で駆け回る距離を測ることができる。なぜなら私の身体が距離を教えてくれるからだ。しかしその距離感をうまく活用するためには、動かずにいるのではなく、歩き、行動し、経験しなければならない。行動することは知覚を可能にすることであり、知覚するにつれて、どのように行動するかを知る。ここから、知覚と行為のカップリングという循環的な概念が生まれた。

ションの概念、もっと正確には3Dインタラクションの概念と一致する。例えば私がインターフェース化した自転車[動かないが動きを検知するセンサーが付いている]でバーチャル世界の中を移動すると、リアルタイムで計算がなされて、自分の位置にふさわしい風景が表示される。実際、もし方向転換で頭を回すと、立体映像は目線の方角に表示される。ペダルを強く踏んで加速すると、センサーがその加速を検知して、像はより速く流れるだろう。これは認識科学でよく知られている「知覚と行為」のカップリングに類するものである。

なめらかに自然に行動できれば没入感はさらに強まり、インタラクションにおいて認識の努力をしなくてよい。例えばバーチャルな自転車のタイヤを修理するために、両手で取り外せばより自

…▶現実世界での1人称視点

然になるだろう。一方開発者にとっては、多くの場合レイキャスティングを使って取り外しをさせるほうが簡単で、それならば一回のクリックと単純な移動だけで済む。前者を選べば、3Dインタラクションの開発の仕事が多く要求される。車輪は触れることができないものにもかかわらず、その形や硬さ、重さを感じるための力覚フィードバック付きのグローブをして、両手で外さなければならない。それからその車輪を持って、置かなければならない。車輪はそれ自体の重さを持つことができるが、これは「物理エンジン」、すなわち重さのシミュレーションを前提とする。さらにちょうどよいタイミングで、車輪を地面に置いた音が始まらなければならない。バーチャル・リアリティのアプリケーションでは、開発コストは対象のアプリケーションの肝の部分に充てるべきである。実際の蠅をたたき殺すために、バーチャルなボクシンググローブをつくるのは無駄なのだ！

バーチャル・リアリティのアプリケーションをうまく考案するためのコンセプトについて、今度は関心を向けてみよう。目的は、展開を最適化し、最終的にユーザーのナビゲーションや行為を容易にすることである。例えばそのアプリケーションの中で、1人称視点と3人称視点はどのようなものになるだろう？　1人称視点は、前ページの図のように、バーチャルカメラがユーザーの目の代わりになるということである。

しかしVR用ヘッドセット装着時の1人称視点では、ユーザーがインタラクションのために両手で握っているコントローラーやセンサーに応じた視覚フィードバックも、また与える必要がある。さらにユーザーが自分自身の腕や手を見られるようにしたければ、それを3Dに再構築し、ユーザーの身振りとバーチャルな腕や手とを連動させなければならない。

反対に3人称視点は、ユーザーに「世界」視点から3Dオブジェクトを知覚させる。まるで、バーチャル世界をながめる一種の神の

…▶バーチャル世界の1人称視点での見え方。バーチャルな手が表れている。[テオ・ドゥララン ド゠ドゥラルブルとオーレリアン・ドゥルヴァルのルヴェルプロジェクト]

ようだ[次ページ図参照]。

バーチャル・リアリティにおけるもう一つの重要なコンセプトは、臨場感である。心理学や認知科学で提起される問題は、次のようなものである。

まず、なぜ人はこのバーチャル環境を信じられるのか？　すなわち、われわれは現実世界にいることを知りながらも、そこにいることを受け入れられるのか？　自転車上で、没入ルーム内で、またはヘッドセットを装着しているとき、われわれは技術装置が存在していることを知っている。それでもわれわれはバーチャルな散策に身を投じ、木々や過ぎ去る風景、村々に見とれる。われわれは装置が可能にしている発見や行程に驚くままであり、おそ

…▶バーチャル世界での3人称視点

らく完全に自由であるとさえ感じる。これが意味するのは、われわれの知性的・知覚的な期待という観点から見てそのバーチャル環境は満足できるものであり[★04]、「信頼できる」ものであるということである。

次に、人はその体験を信じられるのだろうか？　自転車に乗っているとき、バーチャルな道は道に関する記憶と知識によって私が理解しているものに似ている必要がある。ここにアフォーダンスの概念を入れると、体験は直感的であり、私はバーチャルな道の進み方を学ぶ必要はない。なぜならそのバーチャル環境内の要素は私にとって身近なものだからである。少し汚れた標識、影、でこぼこした路面、周囲の音、道路上を進む自転車の音、太陽の光、歩行者、車、すれ違うほかの自転車等。

もし道が上り坂で私が動く台の上にいたら、重たい感じと実際に必要な労力は、この信じるべき体験の一部になる。この場合、調節は精密に行わなければならない。センサーの調整とリアルタ

★04…CNRS［国立科学研究センター］の研究指導教授ダニエル・メストルは、この問題に関してマルセイユ大学のCRVM［地中海バーチャル・リアリティセンター］で研究している。

アフォーダンスとは何か？

海の底でフォークを見つけた幼い人魚は、それを使ってすぐに髪を梳かすだろう。この物体は人魚にとってなじみのあるものではなく、人間社会や文明を想起するものの、ものを食べるために使うものであることは知らない。われわれにとって身近なものは、機能と結びついている。これを「アフォーダンス」という。これは物体が持つ、使用法を思いつかせる能力である。ドアの取っ手は扉を開けるか閉めるかするよう訴えているし、椅子は座るように訴える。このように、バーチャル環境の開発者にとっては、利用者の知識と経験に基づくことが重要である。

イムの適切な感覚フィードバックが、信憑性を高めるからである。

驚くべき発見として、木々のあるバーチャル環境内では、たとえ真っ直ぐ進めば目的地にたどり着けると分かっていても、ユーザーはそこをくぐり抜けることはできない。その場合、バーチャル環境が支配的になり、ユーザーは現実世界の状況よりもバーチャル環境が提供する状況のほうに従う。体験後、ユーザーは実際の感情を感じたこと、いくつかの場所を訪れたこと、単にヘッドセット内の合成画像を見ただけではないことを思い出すだろう。

バーチャルな体に入る

ジェームズ・キャメロン監督の映画『アバター』では、主人公はバーチャルな体に入ることでバーチャル世界の中で動くことができる。これは「化身(エンボディメント)」と呼ばれるものである。

われわれの実際の体は常に存在し、現実の感覚も感じているのに、どのようにしてわれわれはこの世界で動きや音、匂いを感じることができるのだろう？　どのようなメカニズムで現実を消し、バーチャルな体や提示される提案、錯覚を受け入れることが

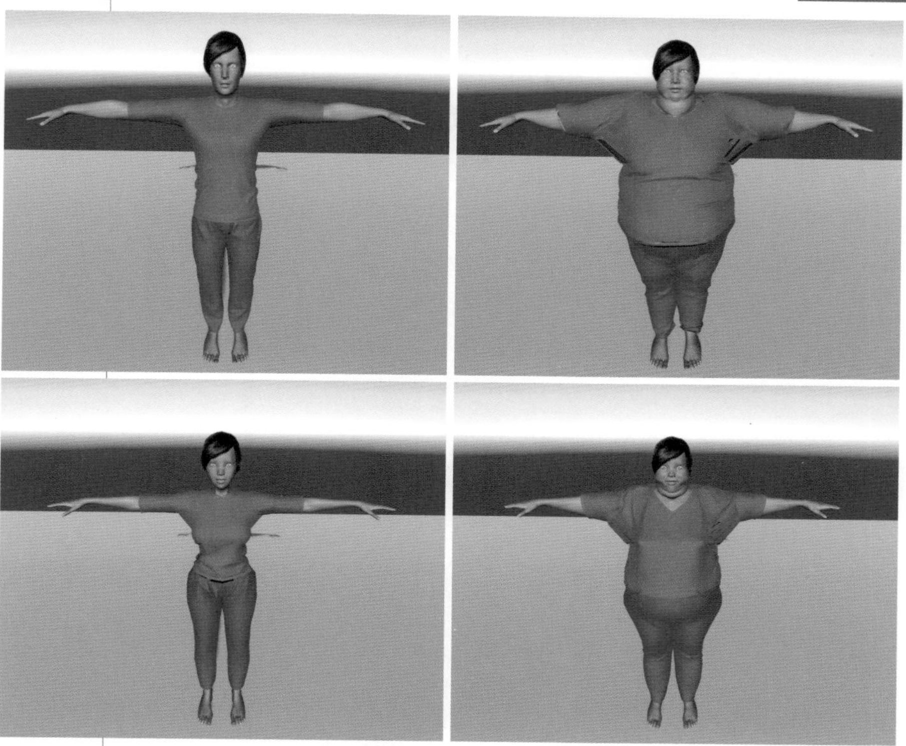

…▶太った人の体に化身する実験

できるのだろう？

バーチャルな体の場合、この自分のものではない体を認識するためにはまず適応時間が必要であることが、認知科学的な実験によって明らかになっている。ユーザーは手足を動かし、足指や手指、頭を動かして、1人称の視覚、すなわち自分自身を中心とする視覚を持った、この新しい体を少しずつ認識していく。

例えば次ページ図に示した実験では、ユーザーが太った人の体に入って、食品を買うときの態度や知覚をテストする。

バーチャルな体への化身の実験の中では、ゴムの手の実験[rubber hand illusion]が有名である。手をバーチャル・リアリティの中に置いてみよう。VR用ヘッドセットを着けたユーザーは自分のバーチャルな手がバーチャルなブラシで撫でられるのを見る。同時にその人の実際の手も、実際のブラシで撫でられる。つまり現実と仮想の感覚がシンクロする。少しずつユーザーはバーチャルな手を自分の現実の手として受け入れる[化身]。突然バーチャルな手の指が乱暴にねじられると、ユーザーは叫びながら実際の腕を引っ込める！

男性が女性のバーチャルな体に入ることは、男／女をより尊重する態度を取り戻すことに役立ちうるし、同様に、子どもとしての自分を見ることは、小さな少年・少女が状況をどう知覚するのかを理解することに役立ちうる。自分のイメージをつくりあげるためには、他者の視線も重要である。バーチャル・リアリティで

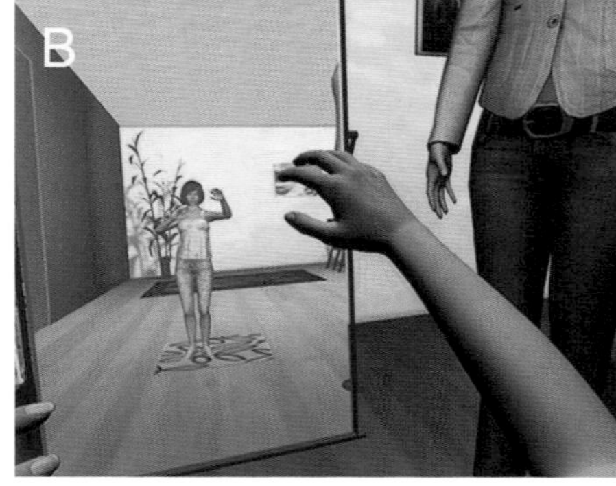

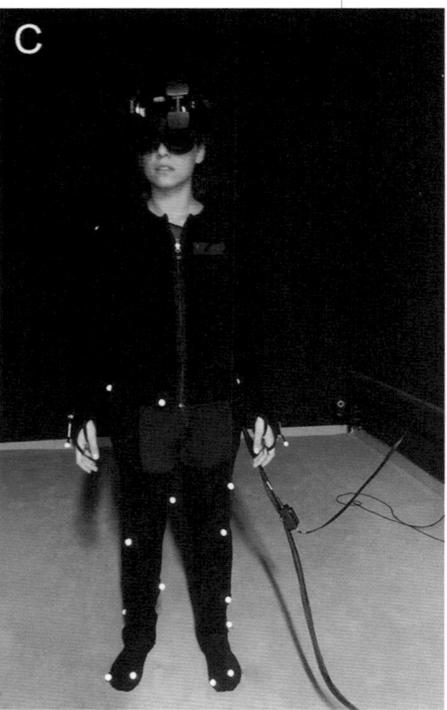

…▶バーチャルミラーによる子どもの体への化身。ユーザー[C]は子どもの体[A]、女性の体[B]に化身した自分のバーチャルな腕が、実際の腕を動かすのと同時に動くのを見る。

は、自分に対する敵対的なまなざしの影響を理解することもできる。例えば自分が人と違っている、またはそう感じている[ハンディキャップ、マイノリティー等]ときがそうである。そこで感じる感情は非常にリアルで、ユーザーの態度に影響を及ぼすこともある。

ではバーチャル環境の中でふたりの人がバーチャルな体に入るというアイデアはどうだろう[★05]。化身は弱まるがタスクへの関わりははるかに増し、その結果多くの展望が開かれる。

►信憑性のある環境をどのようにつくりだすか?

バーチャル・リアリティの体験を信憑性のあるものにすることは、現実そっくりのものをどうしても生み出したいという願いと同様、開発者の目標の一つであり、この目標のためには、いくつもの仕掛けがある。実際、視覚、聴覚、触覚、あるいは複数の感覚の錯覚に基づいて「真実」と感じるような環境をつくり出すことは、現実世界を正確に模倣することよりも重要である。そのためこうした体験を構想するには、認知科学の正しい知識を持ち、知覚心理学の業績を知ることが勧められる。

例えば、われわれがバーチャルな人物を前にして感じる親近感は、ロボット工学でよく知られている「奇妙な谷」または「不気味の谷」の曲線に従う[★06]ことを知るべきである。このカーブ[次ページ図参照]を見ると、ロボットの場合親近感はある点まではそのリアルさに従って高まるが、それを越えると曲線は否定的なほうに下がり、その後再び上昇する。つまり、たとえ像のリアリティは下がっても、「谷」よりも前の範囲にとどまったほうがよい。逆の場合、実際に一貫性の破綻をみることになり、ユーザーはもはや信じなくなる。例えば、皮膚は完璧すぎるのに、髪は動かない……。その結果VRでは、アニメの登場人物のように、意図的に単純化した風采の人物を表示することになる。

実際、バーチャル環境において重要なのは、感覚の一貫性に対

★05…アナトール・レキュイエが指導するハイブリッド・チーム[Inria]の研究者レベッカ・フリブールの業績。レンヌのIRISA研究所。
★06…森政弘氏の業績。一九七〇年。東京工業大学。日本。

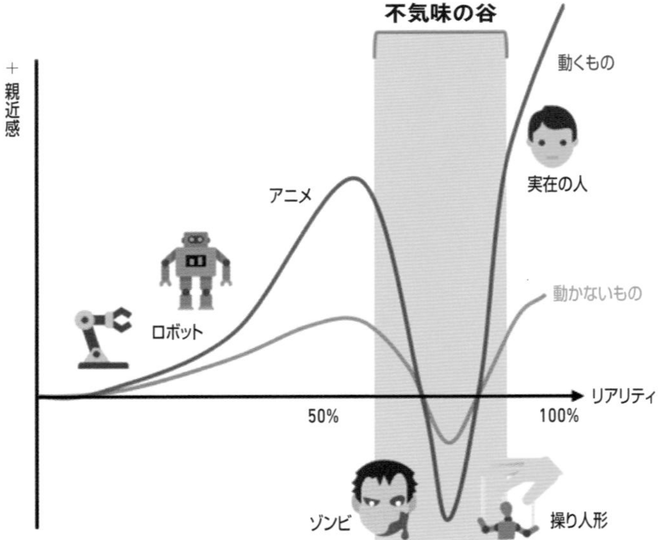

…▶不気味の谷。森政弘氏の業績[1970年]に基づく。

応する像を提供することである。この作戦は、計算効果の基準に立ち返らせる。つまり、ユーザーにとって興味深い一面さえ適切であれば、そのもののあらゆる正確な細部や、起こしうるあらゆる動きを表す必要はない。デザインでは「ユーザー経験」(UX：user experience)と言われるが、例えばVRで火山を見せる場合、溶けた溶岩を再現するのは無駄であり、その印象的な側面を描き出したほうがよい。その点で合成画像とバーチャル・リアリティは、作品によって生み出される感情が最重要である芸術分野に近い。

もう一つの仕掛けは、像を非常に高い解像度で表示しようとすることであるが、リアルタイムの計算をするには時間がかかりすぎるというリスクがある[影、複雑なオブジェクト……]。それを解消するために、最適化のためのさまざまな技術が利用される。例えばルアー[leurre：英語でビルボード]は、目の錯覚を生み出すことによって、バーチャル環境内のナビゲーションをよりなめらかにする。これはいくつかのポリゴンを交差させて3Dオブジェクトのような錯覚を与えるものであるが、実際にはカメラのほうを向く平面画像にすぎない。

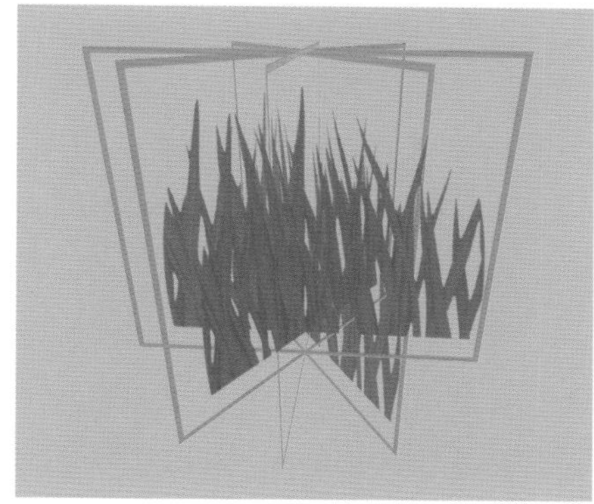

…▶Unity 3Dで制作したルアー

訓練用シミュレーターの分野では、川船の操縦を学ぶバーチャル環境の例をとろう。波と流れの忠実な再現［流体力学の助けによる］だけでは、船を操縦している感覚を得るのに十分ではないだろう。操縦しているような印象を受けるのは、ユーザーがシステムとインタラクション

…▶川船操縦訓練のためのバーチャル環境。CNRS・ユディアジック研究所・UTCが制作［オー＝ド＝フランス地域圏・OSE-FEDERプロジェクト］

をして最終的に得るイメージ全体によるものだからである。

つまり問題は表現することであり、再現することではない。そのためには、現実と一致する土手、橋、住宅、道、木を視覚化し、すれ違う船の音、川船の進み具合、川やそのときどきの天気と関係する船の動きを、ユーザーに提供しなければならない。また、像の表示をリアルタイムで水位に適応させることも必要である。なぜなら周囲の環境は、船が川面の高いところにあっても低いところにあっても、同じように感じられるわけではないからである。

川船の操縦は航行法や指示の順守による影響を受ける。ユーザーが誤った方向に向かったら事故が起こるかもしれず、シミュレーターはユーザーを橋と衝突させなければならない。そうなると波の正確な様相を計算することは無駄になり、例えば波に逆らって進む感覚を与えること、つまり速度との関係で土手を表示するように計算することのほうが重要になる。

本章では、バーチャル環境における人間の知覚に関係するコツや仕掛けを知ることができただろう。次の章では、おそらく読者諸氏が最初から持っていたであろう熱い疑問に取り組むことにしよう。バーチャル・リアリティは何の役に立つのだろう？

第5章

バーチャル・リアリティの個人やビジネスでの利用

理論を越えて、バーチャル・リアリティは個人にも企業にもますます利用されるようになり、その真価を発揮している。数十年前からサイエンス・フィクションで予言されてきたバーチャル・リアリティは、かつてインターネットがそうであったように、今後数十年でわれわれの日常の中で重要な位置を占めていくだろう。たぶん最終的には、われわれはいつか現実の世界を「現実の現実(réalité réelle)」と呼ぶようにまでなるかもしれない……。

余暇の分野

一般の人々から見れば、バーチャル・リアリティとビデオゲームは明らかに似ている。インタラクション、メディア、再現された世界という、ビデオゲームと同様のコンセプトと技術を有するVRは、余暇活動を新たな様式のものへとスムーズに移行させることができる。

►ビデオゲーム

初期のバーチャル・リアリティシステムはむしろコンピュータや専門的な機器をベースに置くものであったが、3Dテレビの登場と任天堂のWiiの成功によって様相が変わった。すでに知られていたビデオゲームの「改良」版として身振りという要素が加わると、一般の人々がまさに真の市場になった。家庭用ゲーム機はコントローラーに関して第1世代からほとんど変化していなかった——もちろんいくつかの一時的・実験的なものは別として——が、現在ではカメラ効果や3Dパララックス(視差)効果、身振りによる操縦、空間化などを組み込んでいる。ビデオゲームはより多くの大衆に向けたものであるだけに、バーチャル・リアリティの原則をすべて使うことなく「画面から飛び出し」、シンプルで頑丈で低価格を維持しつつ革新的な機器を提供するよう、メーカーを

►ビデオゲームとバーチャル・リアリティの似たような始まり

初期のビデオゲームは、すでに存在していたゲームやスポーツをマルチメディア様式のものへとたちまち蘇らせた。例えばフリッパーゲームはバスク地方の球技バスク・ペロタのバーチャル版といえるし、初のビデオゲームとされる簡単なオシロスコープを利用した「テニス・フォー・トゥー（Tennis For Two）」は、もはや紹介するまでもない。そして伝統的なボードゲームや実際に活動するゲーム［アドベンチャーゲーム、競争ゲーム、敏捷性ゲーム、パズルなど］を再解釈したゲームが数多く登場した。

同様にバーチャル・リアリティでも、の初期の頃から射撃ゲームやダーツ、ビリヤード、テニス、さらには音楽やリズムのゲームが見られた。まずは身振りが多すぎないものであったのは、すべてのVR用ヘッドセットでトラッキングのできるコントローラーを提供していたわけではないからである。次いで頭や手のトラッキングが完全になされるようになると、複数プレイヤー向けのものへと向かった。VRゲームは進化し続けているが、数十時間にわたる「フルスケール」のゲームはまだほとんど見つからない……。より多くの人が装備を整えることを期待して、それはむしろアーケード型、あるいは友人同士のパーティー向けになっている。

追い立てている。

このようにビデオゲーム［と、その他多くの領域］用としてバーチャル・リアリティが復活し、さまざまな形で人々をつかんでいる。そこでは次のような取り入れやすいテクノロジーが活用されている。

- ゲーミングパソコン。プロ用の機器に比肩する性能を持ちながら、数分の一の価格である。
- 動きや位置、角度のセンサー。例えばWiiリモコンやマイク

…▶初期の本格的なVRビデオゲームの一つ、Raw Data。ロボットが次々に出す波を、複数の登場人物と共にさまざまな武器でバラバラにする。

ロソフトのKinect。

▶120ヘルツのビデオプロジェクター［あるいは相当する平面スクリーン］。画面から飛び出す感じを与え、プレイヤーの家に小さなCAVE™［壁スクリーンシステム、1章27ページ参照］を設置する可能性さえもたらす。

▶解像度の非常に高い小型の液晶画面。電話やタブレットの一般化とともに登場。個人用の手ごろな没入型ヘッドセットの出現に一役買った。

こうして、数十分のバーチャル・リアリティのゲームが自宅で——家具は十分片づけておくこと——行われるようになった。一般に少人数で行い、ヘッドセットは交代で装着する。アーケードゲームから着想したそうしたゲームでは、筋書はしばしば単純なきっかけから追いやられ、すぐさま行動に浸ることができる。

VRに先行していたいくつかのゲームも、多少とも成功した。操作は普通はコントローラーや、キーボードと［または］マウスを基

…▶古典的ヒット作、Beat Saber。2本のレーザーの剣で音楽のリズムを刻めることから、たしかな魅力を提供した。

…▶「バーチャルルーム」という未来的なVRのエスケープルームは、フランスの複数の都市といくつかの大都市に存在する。

礎にするが、可能な限りヘッドセットにも対応する。このタイプのゲームで最も繊細な点は、一般に移動［一つの動きから小さなジャンプで段階的に別の動きに移る］とインタラクション［剣の闘いは単にボタンを押すと始まるのではなく、身振りでなされる］である。

►複数プレイヤー

没入用ヘッドセットを所有する複数の人間が、互いに離れた動作範囲を融合して同じバーチャル環境に合流し、協力——または対決——することができるため、VRへの複数人参加は大きく発展しつつある。

複数の人が自宅にヘッドセットを持っていることは稀なため、集団ゲームはゲームセンターやレジャー施設でも行われる。そうした場所は空間も広く、付属品も整っている［背景の要素、上半身と足のトラッキング、操作可能な人工的なオブジェクト］。また、与えられた時間内に解決しなければならない謎や、協力して行うインタラクションに満ちたエスケープルームのほうへ向かう傾向もある。

大きな利点は、同じ空間内にいる参加者たちが大きな声で話し合ったり、手を握ったりと、物理的にもインタラクションができることである。『スター・トレック』のホロデッキに近づいている！

一般に、VRビデオゲームの総括をすることで、今日ではむしろ「バーチャル体験」について語ることができるだろう。そうしたゲームの中には、プレイヤーに日常を忘れさせ、創造的なコンセプトを表現するためにとくに考案された内容で、むしろインスタレーション芸術や見本市のアトラクションを思わせるものもあるが、ますます長くなるVRヘッドセット着用時の快適さの面だけでも、このメディアの新しさを完全に取り入れたゲームはほとんどない。

►オーディオビジュアルとメディア

バーチャル・リアリティは、そのはるかに印象的なバーチャルな見え方によって、テレビ画面にとってかわるものとして、テレビ放送の進化としても見ることができる。

例えばスポーツの中継放送では、選手の位置、さらにはボール

…▶『エージ・オブ・セイル』。完全にバーチャル・リアリティ用につくられた初期の短編アニメの一つ。

の位置など、プレイの中心に身を置くことができる。文化的なコンテンツやルポルタージュでは没入感が高まるし、映画では観客をより深く巻き込んでいく。

そうなると次に挑戦すべきことは、コンテンツを新たな様式(フォーマット)の中でとらえることである。それは新しい360度カメラ［217ページ参照］や3Dだろうか？　ビデオゲームのように環境全体を3Dで再現する？　高密度な3次元座標点でとらえる？　さらに技術を生み出して、像を拡大適用する？　描写が忠実にされていくほど、キャッチは複雑になる。

映画やテレビの表現方法も大きく再検討されている。映画や次々と生まれるその派生作品は、常にスクリーン、焦点、画面構成、さらには様式(フォーマット)とさえも強く関わってきた。なぜなら人は何よりもまず画像を見るからである。バーチャル・リアリティはスクリーンの概念、さらには視点という概念さえも消し、本当に自分がその行動の中心にいるかのような印象を与えるものであるため、制作の仕事も変わってくる。カメラマンや編集者の役割はどうなるのだろう？　シーンごとの撮影や、画像のノイズは必要だろうか？　生の、または現実の光景を自然にVRに移すことができ、自分がその前または中心に一瞬で移動したように思えるとしたら、バーチャル・リアリティの映画はどのように進歩するのだろう？　そして数年後には、監督たちはどのような創造的なアプローチを考えるのだろう？

われわれは間違いなく、ゲームと、あるいはインタラクティブなコンテンツと、オーディオビジュアルとの融合に立ち会うことになるだろう。インタラクションのない単純な360度ビデオは実のところバーチャル・リアリティではなく、オーディオビジュアルは新たな可能性に適応していくだろう。観客と一緒につくりだす？　シナリオが順応する？　没入型ナレーション［219ページ参照］？　個人化または社会的体験？　可能性は大きく広がっているが、それはこのテクノロジーを扱う人の数にも、そうしたコンテンツの普及を支える経済モデルにも、依存することになるだろう。

►スポーツ

バーチャル・リアリティは余暇の他の分野にも、興味深い補完的要素をもたらすことができる。例えば以前からゴルフのシミュレーターというものは存在し、プレイヤーはバーチャルでスイングの練習をすることができた。大きな画面にコースが再現され、手に持つクラブが動きをとらえるというものである。

バーチャル・リアリティは、バーチャルでも多少とも現実感のあるゲームの楽しみがあることから、それ自体が目的のように見られることもある。例えば有名なボーリングゲームやボクシング、家庭用ゲーム機で試せるダンスなどである。また従来のス

…▶2000年代初頭のゴルフのシミュレーター。3D画面がある場合とない場合がある。

ポーツトレーニングを補完するものとして、バーチャル・リアリティで本物のバーチャル・トレーニングをすることもできる。

こうした点でバーチャル・リアリティには柔軟性があり、ゲームではその状況を再現することができる。再びゴルフのシミュレーターの例をとると、即時にどんなコースでも試すことができるし、正確にできるようになるまで何度も同じ部分を繰り返すこともできる。また、欠点を視覚化しながらさらに調整するために、自分の動きを分析することも可能である。バーチャル・リアリティのおかげで複雑な状況を直感的に知覚できるため、例えば自分の姿勢や筋肉を視覚化したり、自分自身のバーチャルな分身によって動きの軌跡を見たりすることもできる。この技術に組み込まれたモーションキャプチャー技術は、スポーツの動きにうまく適応してこの種のフィードバックを提供し、一般の人々に利用されている。

►博物館と文化

文化的な施設はバーチャル・リアリティをこれまでにない可能性をもって活用している。多くの場合、そうしたスペースでは歴史的な品や芸術作品を紹介しており、主要な作品にはその背景にかかわるものを添えている。例えば歴史的なものの復元や「音と光」の体験、あるいはその枠内で映写するために特別に制作されたドキュメンタリーフィルムなどである。バーチャル・リアリティがこうした活動をさらに進めているのは、没入させる力がはるかに強く、再現する場所や時代、オブジェクトによる予算の制限もないからである。模型に代わって2000年前の寺院を訪れることもできれば、バーチャルに再現した自然環境の中で動物を見ることもできる。

そうした例とは対極にあるもう一つの例は、『ザ・ガーディアン』紙がインスタレーション芸術風に開発したアプリケーション

…▶「6×9」。芸術的・人道的な目的を持つアプリケーション。監禁がどのようなものであるかを認識させる。

►信憑性と本物であること

バーチャル・リアリティは消え去った場所をリアルに正確に再現しようとするが、考古学者であれば、過ぎ去った現実の幻想的なバージョンではなく、分かっていることをすべて示すことが何よりも必要だと反論するだろう。デッサンや模型は表現物のおおよそを示すが、バーチャル・リアリティは少し行き過ぎることもある。クリュニー大修道院の大部分の壁が明るい色で塗られていたことは今では立証されているのに、最初は白い石というテクスチャーを与えられていたではないか？

多くの訪問者は間違った方向へ誘導されていたわけである。するべきなのは、芸術的かつ科学的な選択である。

各博物館や歴史的な場所は、所有するコレクションに遠距離でもバーチャルでアクセスするよう提案できるだろうが、実際に足を運びたいという欲求を訪問者に与えることもまた必要であろう。行きにくい珍しい場所をバーチャル・リアリティで見ることができるようになると、そこに関心が集まるが、歴史的な場所に物理的に行って歴史の重みを感じることは、バーチャル化することはできないだろう。

「6×9」である。これは超リアルな刑務所の独房にユーザーをバーチャルに入れるもので、制作者の意図は、収監された人が感じる孤独感や、感覚のはく奪を認識させることにある。

博物館の分野では、クリュニー大修道院のマイオ・エクレジア(Maior Ecclesia)を挙げよう。これは1990年代のフランスにおける先駆け的な計画で、VRの大衆化によって現在でも続いている。Ensam［国立高等工芸学校］のふたりの学生が始めたこの計画は当時のCAD技術を利用したもので、この大修道院［当時は小さな町の大半を覆うほどの広さだった］の最大の教会の、現在では破壊されている部分を訪問者に見せるという目的で開発された。まずはタブレットで、この敷地内の重要な場所の過去の状態を立体映像という形で見せていたが、現在では、ビデオ、バーチャル・リアリティ、拡張現実[1章39ページ参照]をまとめたメディア横断的な計画になっている。

►アート

アーティストが斬新な経験を提供するために、近づきやすさや経済的な影響を気にすることなく、実験的な技術を他に先駆けて試みる例はよくみられる。立体視法や動きの検知は、そのような形で1990年代からインスタレーション芸術の中で利用された。この傾向が現在も続いているのは、必ずしも大きなスクリーンがなくても、個々人にインタラクティブな経験をさせることができるからである。

こうした傾向の一例が、ジュディット・ゲーズ、ギヨーム・ベルティネ、エミリー・アンナ・マイエによる「クリストファーの部屋」である。これは複合現実[7章212ページ参照]のインスタレーションで、体験者は大人用に拡大した、子ども部屋を模した実際の舞台装置の中に入り、没入用ヘッドセットを装着する。そうすると利用者はまさにこの同じ部屋をリアルな3Dで再現したものが見え、バーチャルなオブジェクトを感じたり触ったりできる。そうしたオブジェクトは現実とシンクロしており、夢を見ているような気分になる。飾ってあるものは次第に生気を帯びていき、木の飛行機が飛び立ち、モビールは太陽系になり、壁は見えなくなる……。現実と

…▶単なる子ども部屋から出発して、夢の世界が壁を壊し、体験者を取り囲む。

…▶グーグルが開発したチルトブラシは、絵をバーチャル・リアリティに向けてまさに進化させた。

バーチャルとの間の穏やかな移行で、体験者はたちまちどこにいつのか分からなくなる！

バーチャルはこうして、これまでなかったインタラクティブな作品を創作するための新たな実験領域になっているが、もっと伝統的な芸術活動もまたその影響を受けている。グラフィックシステムがイラストの分野を革新したのと同様、VRは自然な動作で空間に絵を描いたり彫刻をしたりすることを可能にし、驚くべき成果を見せている。具体的な方法としては、例えば都会的な絵を描くソフト、Kingspray Graffitiは驚くほど現実感があるし、デジタル彫刻ツールは素材を付け加えることも取り除くこともできる。もっと革新的なコンセプトとして、Tilt Brush（チルトブラシ）も挙げておこう。これは光の線で立体感のある絵を描くソフトウェアで、2Dの平面からの解放を望むアーチストに道を開いた。その成果を探索することも可能で、まるで画家の一筆一筆を探りながら立体感のある油絵の中に、あるいは極度に精密な立体模型の中に入り込んだかのような体験ができる。

社会的利用

ウェブはすでに無視できない社会的関係の媒体とみなされているが、バーチャルはとくにこれを拡張するものとして、日常生活に新たなあらゆる可能性を開いている。バーチャル・リアリティはビジネス界にも、友人や家族間にも、新たなアプリケーションを提供している。

►テレプレゼンス(遠隔臨場感)

ビデオ会議はすでに2000年代に一部距離というものを消し去ったが、バーチャル・リアリティは今や出会いや実際の共同活動を可能にしてくれる。今日では、参加者のバーチャルな代役であるアバターは、かなりシンプルとはいえさまざまな設定が可能である。もちろん、バーチャル・リアリティが大衆化する前からすでに人気のあった3Dのチャットルームでは、カフェやその他社会的交流の場でできるのと同じように、各人がほかの人と話したり、変装をしたり[もちろん使える道具で]、即興でダンスのステップを踏んだり、ちょっとしたゲームをしたりすることができる。例えばアプリケーションのレックルーム(Rec Room)を使ってバーチャルで高校[アメリカ風]に戻れば、学生用の部屋、体育館、キャンパス、そしてさまざまな楽しい活動があり、ワンクリックで始めることができる。レックルーム内のオリジナルゲームであるペイントボール場の入口の前で話をしたり、作業場のようなところで前もって自分で準備したオブジェクトや装飾を追加することもできる。

今日ではまだ本当にスタンダードな技術基準は存在せず、VR

…▶レックルーム。VRのチャットと建設ゲームと複数プレイヤーによる自発的な活動をミックスしたもの。

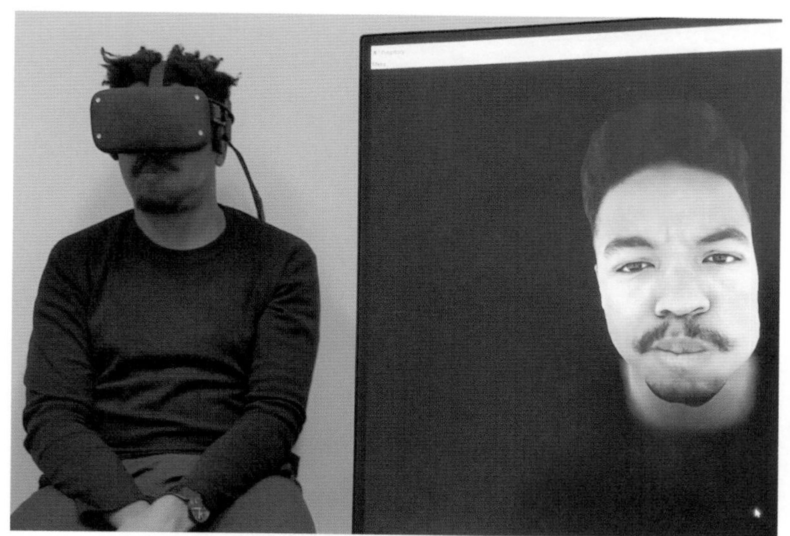

…▶ユーザーが装着するVR用ヘッドセット[左]の中には複数のカメラがあり、顔の表情をアバターの上に再現することができる[右]。

用ヘッドセットの着用は限られているとはいえ、コプレゼンス(共存)という枠組の中で、あらゆるアクティビティが考えられている。とくに増えてきた利用方法はビジネス関係のバーチャルな対面で、オンラインで買い物をする前に、コンサルタントが商品を紹介して試させるというものである。社会的関係をつくりだし、実際の対面でなされるような自然なコミュニケーションを目指すには、コプレゼンスの感覚が重要である。

この点で、いずれ世に出るとされる未来の没入用ヘッドセットは、ますます進んだ機能を提供する。例えばフェイスブックを母体とするオキュラスは、VRのソーシャルネットワークに大きな野望を持っている。この会社は、自然な身振り［つまりコントローラーなし］や、ヘッドセット装着者の視線の方向、顔の表情をキャッチできるテクノロジーについて研究している。表情については、ヘッドセット内のカメラが顔の下のほうまたは目を写す技術によって、ヘッドセット装着者の自然な表情をアバターの顔の上に映し出すことができる。準備段階の成果には誇張がつきものとはいえ、いずれは「視線を交わし」たり、共有空間の中をリアルな感じで一緒に移動したりできるようになり、伝統的なテレビ会議を超えることができると予想される。

►福祉、看護、医療

バーチャル・リアリティのかなり驚くべき利用法は福祉に関するもので、安らぎや自然…といったコンセプトと、非常に現代的な技術とのコントラストを生み出している。

攻撃的または息苦しいと感じうる世界の中で、バーチャル・リアリティは実際の世界から切り離された、プライベートな空間を提供してくれる。そこではリラックスできる活動や感情をコントロールできる活動を、自宅のような環境であったり、例えばヨガの一環のような形で実行することができる。

こうしたアプリケーションはより特化して、医療上の需要に照準を合わせることもできる。バーチャルは認知療法や心理学の研究活動の枠内で、固有の状況を生み出すのに非常に適したツールを提供する。それによって患者は、改善に向けて調節・管理した

…▶ガイデッド・メディテーションVR（Guided Meditation VR）というアプリケーションで、リラックスできる特別な場所に「瞬間移動」できる。

刺激を受け、バーチャルを介して現実の状況に穏やかな形でさらされる。それは、バーチャル化した経験は信憑性はあっても効果はないと認識しつつなされることもあれば、問題の多い状況に適度な加減で直面させることもある。例えば恐怖症の治療では、患者を苦しめうる刺激の各側面を変化させることができるため、働くメカニズムをより理解し、乗り越えがたい出来事を受け入れられる要素に分解して、解決に向けて進むことができる。

数年前から、バーチャル・リアリティは自閉症や心的外傷後ス

…▶パリ第6大学ではバーチャル・リアリティを使って、人は相手をその態度によってどう感じ取るかを研究している[ルヴィアテック社が開発したアプリケーション]。

…▶スノーワールドはバーチャル・リアリティに基づくアプリケーションで、痛みを紛らわすために治療室で利用される。

トレス障害にも救いをもたらしている。利用者の社会とのかかわりを調整して将来の状況に対する準備をさせたり、安心な状況で他者とやり取りさせたりすることができるからである。例えばFloreo VRというアプリケーションは、子どもが自分のペースでできる経験を設定する。道路を渡る、友だちと話し合う、ハロウィンの夕方に呼び鈴を鳴らす、など。

一般に社会的プロセスや認知のプロセスを理解するにあたって、バーチャル・リアリティは刺激のさまざまな側面を分けてコントロールし、現実世界で影響を及ぼしうる大量のパラメータから解放することによって、ある反応が出現する真の理由を特定しやすくする。

以前からバーチャル・リアリティは、苦しみを紛らわせるためにも使われてきた。苦しみの感じ方は主観的な面もあるため、手当てを受ける人に集中力が必要な活動を提供することで、その手当てを受け入れやすくするのに役立つ。とくに動きが制限されている患者や安静を要する患者、傷で拘束されている患者に対して、バーチャル・リアリティはときを同じくして病室の向こうの新たな地平線を提供する。複雑な動きはなくても、鳥のように飛んだり、一つの乗り物から広い空間を訪れたり、頭や目の向きを使ってオブジェクトを狙ったり、それらとインタラクションをしたりすることができる。

ある種の感覚の提示が驚くほどのプラスをもたらすこともある。例えば1990年代初頭に生まれたスノーワールドプロジェクトは、すさまじい治療に苦しむ重度のやけど患者に対して、温度に対する感覚を一部だますものである。患者はバーチャルな氷の世界を訪れ、ペンギンその他北極の敵を相手とする雪合戦に巻き込まれ、注意を自分の身体以外の別のものに向けることができる。こうした幻影によって、彼らの視覚が結論づける激しい寒さとやけどで感じる熱さが、ある種相殺されるのである。

►教育

一般に教育においては、資料学習と講義と実践の各段階ははっき

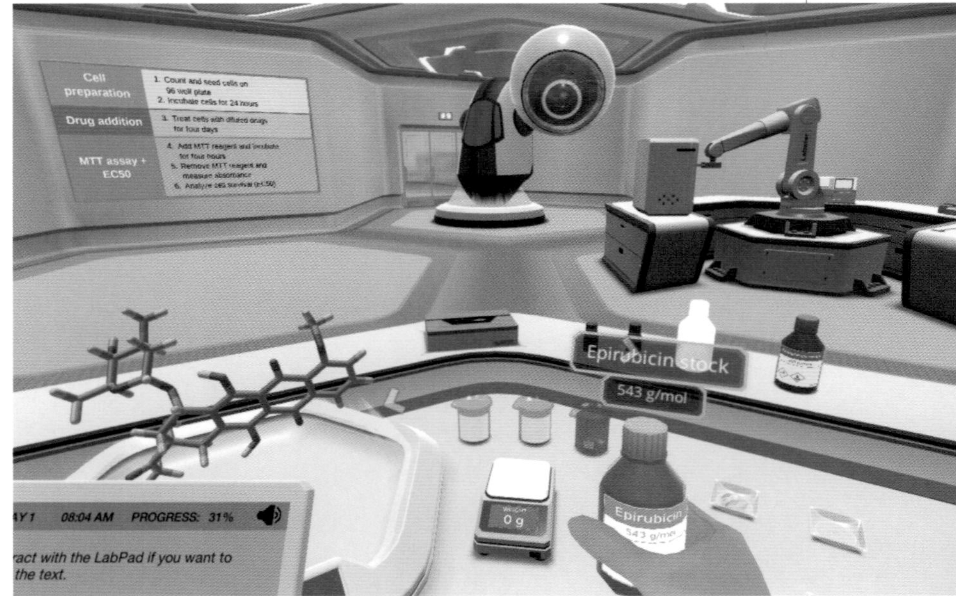

…►ラブスター(Labster)は誰でも最先端の科学実験ができるバーチャル研究所である。

…▶アプリケーションのオーバービュー(Overview)で、太陽系の中を巨人のように歩き、惑星の軌道を視覚化しよう。

りと分離されているように見受けられる。それらは伝統的に、例えば本の前、教室、実践的作業の時間と、それぞれ知識へのアクセス方法が決まっている。バーチャルはこの三つの面を組み合わせた個人的な指導というもっと力強い教育的アプローチを提案し、こうした区別をすべて取り払うことができる。

生徒に概念を示すことは2D媒体では必ずしも容易ではないが、日々の生活体験や具体的なケーススタディをバーチャルに置き換えて授業を始めれば、その題材に入りやすくなる。そうすればすぐに実験することも、実験のパラメータを操作することもでき、発見の段階を通して教育的な内容へと至ることができる。その発見も教師の講義を受動的に聞いているよりも、自分自身がしたような印象を持てる。こうした「バーチャル研究所」の方針は、とくに現実の装置の価格やそれを自由に使ったときのリスクを想像すると、非常に意義が大きい。

VRは筋書に柔軟性があるため、それぞれの生徒に異なる学習プログラムを検討することもできる。また、人工知能とのつながりによって、コンテンツをよいタイミングで提案・提供することにもとくに適しているだろう。

こうした活動でも、もちろん社会的な関係を保つ必要がある。各人が教師やほかの学習者との恵まれた関係を持つことなくデジタルな家庭教師に付き添われている学習時間を想像するのは、残念だろう。だから、同じ部屋にいる参加者同士がバーチャル・リアリティ[または拡張現実]の装置を介して即時に交流するのでも、また遠く離れた相手と共同作業システムを使うのでもよいが、例えば風車の模型を複数人でつくったり、少人数グループで人間の血管の中を泳いだり、太陽系の中を駆け回ったりということが考えられるだろう。化学反応について発見し理解するために、分子を次々と投げ合うというのはどうだろう？　一部の学習者は何らかの権限を得てその集団から外れ、状態を変えたり、実習をパラメータ化したり、仲間を導いたりといった役割を果たすのもありだろう。自ら他者に何かを教えることは、最良の学習方法であるというではないか？

ビジネスの世界

企業は長年バーチャル・リアリティを利用しているとはいえ、証券取引業者を安心させ、価格を下げ、この種の革新のおもちゃ的な側面を忘れさせるためには、入手しやすい没入型ヘッドセットが登場し、それを一般の人々が所有するようになるまで待たなければならなかった。

►重要な任務

バーチャル・リアリティは、VR用ヘッドセットやCAVE™で見せるにせよ、一つの状況を何度も繰り返すにせよ、コストはほぼ常に一定している。これがバーチャル・リアリティの第一の大きな強みである。だから人や環境、設備を――バーチャルに――危険にさらすことにためらいは感じないだろう。そのためバーチャルは軍事や原子力、宇宙の分野で高く評価され、現場に近い状況づくりや非常に繊細な任務の訓練のために、一部で利用されている。そうした訓練は、特別に改良した物理的な装置で前もって何時間も行うシミュレーション・プログラムの延長上になされるものである。バーチャルに移行する利点は、没入によって現実感が増すこと以上に、そこに表示しうるありとあらゆる状況に立ち会えることと、事前の準備・調整の時間がなくても筋書が瞬時に始まることにある。

医療の分野では、シミュレーションによる教育訓練もよく行われる。なぜならこれによって、初めての医療行為は本物の患者で実践してはいけないという原則を尊重して、繰り返し練習できるからである。正確な動きを繰り返すための外科のシミュレーション装置というのは容易に想像できるし、手術の展開だけでなく、そこに含まれる技術以外のあらゆる側面[手順、起こりうる変則的事態、器具の選択、チームとのコミュニケーション、困難な場合の決断]の準備もとくに重要である。例えば、過酷な状況で必要なスタッフの体制づくりが難しい場合に、バーチャルを使って負傷者の選別をすることもできる。

医療で利用される分析機器についても言及しておこう。操作はますます複雑になっているが、リアルな状況が再現できるおかげで、そうした機器を扱う練習ができる。このようにバーチャル・リアリティは、重要な任務の中の各動作をよりうまく学ぶために、また、実際の医療処置を行う前に「総稽古」をして一連の手順と特性をきちんと記憶するために、利用することができる。

►職業訓練

とくに難しい仕事の訓練以外でも、バーチャルは広い意味での職

…▶パラシュートによる落下のシミュレーション。訓練または余暇用。

…▶VICTEAMS研究プロジェクトによる非技術系能力養成の研究。野戦病院に殺到する負傷者を管理するため、医師と看護師を連携させる[ルヴィアテック社が開発した試作]。

業訓練において、非常に魅力あるものである。

実際、訓練の実施費用が考慮されるため、実習生は多くの場合自分の仕事の範囲内の限られた能力しか獲得することができない。そのため小規模な会社を含めてますます多くの会社が、新入社員に社の活動全体を知らせるために、「企業のバーチャルツアー」を実施している。

これは関心を持たせて企業文化を強化するという考え方であり、内外の関係者が工業用地での実践に慣れるためにある「安全のためのガイド」に近い。バーチャルではこのタイプの内容を自由に選んでアクセスできるし、とくにそれがビデオを含めた3時間のパワーポイント(PowerPoint)の説明よりも、はるかに魅力的な形でなされる。バーチャル・リアリティのおかげで、従業員は社内の複数の仕事を次々と引き受けることができるであろうし、その背景もいっそう認識するだろう。この種のコンテンツは採用の

…▶アルミ鋳物工場の鋳型を清掃するための専門的な作業を、バーチャル・リアリティで訓練。モンテュペ 社、CNRS・ユディアジック研究所・UTCと、訓練用の環境を開発したルヴィアテック社が制作［オー＝ド＝フランス地域圏・KIVA-FEDERプロジェクト］

ときにも使えるだろう。志願者に複数の職種を見せ、その仕事に対する興味を見定め、養成以前の段階から個々の才能を見出すのである。

フランスの職業安定所(ポール・アンプロワ)では、いくつかのバーチャルなツールでこのコンセプトを試している。そのうちの一つは、志願者を品出しのポストにつけて、棚の陳列やストック品の管理をさせるというものである。これは三つの目的を持ったバーチャル・プログラムで、その目的とは、志願者にとっては仕事を知ること、企業にとっては従業員の能力を判断すること、そして職業安定所の相談員にとっては新たな才能を見つけ出すことである。

技術訓練もバーチャル・リアリティに非常に適している。こうした仕事に関係する知識は「紙の上で」教えるのは難しいからである。バーチャルがなければ、技師が装置を使えるようになるには人から習う必要があるが、これは訓練のために製造機械を無駄に使うだけでなく、ほかの技師と［または］職業訓練官にそれなりの時間を要求することにもなる。エネルギーや原材料が浪費され、装置［さらには技師］にとってはリスクになりかねない。しかも、特殊なケースやレアケースをすべて数週間で扱うことはできないため、訓練はどうしても部分的になる。

バーチャルであれば、訓練をはるかにうまく組織することができる。機械をあえて狂わせて技師に診断の訓練をさせたり、手順がうまく実践できるか試したり、バーチャルな予備生産を介して品質目標を最適化したりといったことを、本物の機械に触れさせる前に行うことができる。もちろん続いて本物の機械で行う短期間の訓練は興味深いだろうが、そのとき大部分の知識と技能は、人から教わる場合にかかる時間の一部で、すでに獲得されているわけである。

►マーケティング

プロとして、自社製品を何の準備もなく遠距離の人に紹介・説明することを想像してほしい。未来の客はこうしてまるで無限にストックがある店にいるかのように、モデルからモデルへと行き来して比較し、さらには試すことができるのだろう。カスタマイズ化［色の組み合わせやオプション］のおかげで、客は好きな製品を物理的な制限なく組み立て、次には自分バージョンのものを注文して届けてもらえるだろう。この種のVRアプリケーションでは、マーケティングの経済的・エコロジー的バランスの回復が可能であり、すでにインターネット上で利用されているコンフィギュレータの補完もうまくしてくれる。

B to Bの世界では、潜在的に数十トンの重さがあったり、また

…▶CMDギアーズ社の極めて大掛かりな装置に説明を重ねた分解動画。これはセメント工場の炉[ルヴィアテック社が開発したアプリケーション]。

は[かつ]数十メートルの長さがあったりするもの[海洋プラットフォーム、飛行機、工業機械]は、ビジネス会合に持参することができないため、すでに最先端の機材をバーチャルで紹介することが可能になっている！　VRは実際実物大のもの——または拡大縮小したもの——を表示してあらゆる接合部から調べたり、分解組立図を示したり、好きなように解体したり、装置の下位システムを説明するストーリー性のある小さなアニメーションを入れたりすることもできる。

例えばCMDギアーズ社はVRによる研修・教育を専門とするルヴィアテック社に、セメント工場の巨大な炉のシステムを、訓練用としてバーチャルで実物大で再現するよう依頼した。実現したアプリケーションは、いくつかの関心事——応力の表示、温度差の明示、コンセプションの特性の図示——を遠隔操作することによって、この装置の強みを強調し、理解に役立てようとするものであった。

さらに、不動産の例も挙げることができる。ここでも重要な点は一緒だが、この場合大きな問題になるのは、バーチャル・リアリティと単なる360度ビデオのどちらを選ぶかということであろう……。間取りが画一化した大きな集合住宅であれば、バーチャル・リアリティで建物や各戸の全体像を再現して、購入を検討する客に未来の住まいのイメージを持たせることは簡単である。しかしもし1軒だけ売り出している不動産であれば、解像度の高い自動3Dスキャンを待っている間に360度写真を撮影したほうが、興味深いし、費用も抑えられるだろう。

未来の工場

常により高い効果と合理化を求める企業は、インダストリー4.0あるいは未来の工場というコンセプトを打ち出している。これはデジタル化がもたらす可能性を最大限に活用して、製品ライフサイクルやサービスのあらゆる段階でプロセスを最適化し、知識を蓄積し、コンテンツを広め、関係者同士の協力を促進しようというものである。

この未来の工場では、その企業と関係のない世界で実力を見せたテクノロジーを組み入れることも問題になる。そうしたテクノロジーは大衆用に広く展開していて、産業用に特化した同等品よりも低価格で使いやすい場合も多い。例を挙げると、ソーシャルネットワーク、ビデオゲーム［活動の「ゲーム化」を介して］、もっと一般的には、仕事場で使うが個人のスマートフォンで実行する、私生活と仕事生活を近づけていくあらゆるアプリケーションがある。

►製品のコンセプトと製造過程

産業界の本質的な問題意識の一つは、製品や製造過程の開発にか

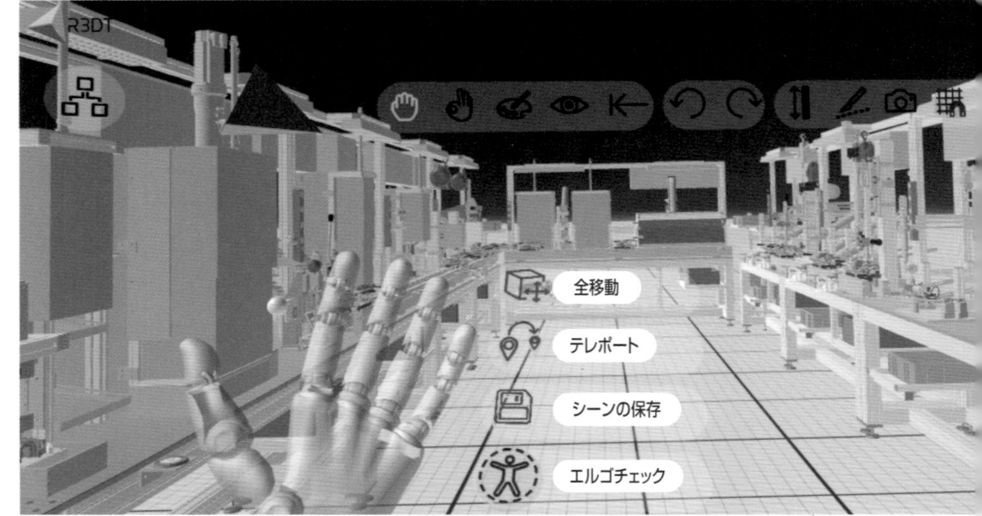

…▶単純化したCADモデルから出発して、VRは新たな生産ラインの導入を想定して試すことができる。これはR3DT社のソフトフェア。

かる時間についてである。最終的な結果に至るためには長い道のりが必要な場合が多く、たとえ改善すべき点を突き止めても、即座にそれを考慮することは必ずしもできない。改善点を組み入れるには、プロセス全体が次に見直されるまで待たなければならないだろう。

そのため、できる限りすぐに適切な決定を下すことが重要である。バーチャルは将来の姿を映し出し、先取りする一助になるだろう。例えばある製品のデザインは、デザイナーによる伝統的なスケッチよりもはるかに現実的で普及するかもしれないし、ますます多くのCADのソフトウェアが、今やバーチャル・リアリティや拡張現実によってプロジェクトを表示・操作までする機能を打ち出している。こうした方法は以前から自動車産業や航空機製造業で、ダッシュボードの考案や有効性の確認のために、またバーチャルによる計画の検討という形で一連の選択肢を試すために、利用されてきた。

►デジタルツイン

製造方法についても改良は可能である。製造業は常時適応が必要であるため、工場全体の再整備が必要となることも稀ではない。それは、新たな生産ラインを起動したり、新たなプロセスを配置したりするため、要するに機械間の経路を変え、さらには建物自体を変えるためである。バーチャル・リアリティは未来のふさわしい生産ラインを可視化し理解させることができるだけではなく、未来の活動を複数の従業員に学ばせることも、起こりうる異常事態を構想段階から暴くこともできる。例えば、経路の配置が悪い、将来のメンテナンス方法が活動を妨げる、作業場の安全性や廃棄に改良の余地がある、など。

生産ラインがすでに存在していてもいなくても、デジタルツインに前もって投資しようと考えることは、将来状況に合った機能や内容を充実させることができるという保証である。それによって、3D表示のダッシュボードを通して生産をバーチャルで監視することや、バーチャルツインの構成要素に関する研修方法を定着させること、あるいはもっと単純に、必要なときに関係者に設備を紹介することができるようになる。しかしここで、拡張現実もまた果たすべきカードを持っている。現場でデータにアクセスできることも、また非常に重要だからである。

第6章

バーチャル世界をつくるためのミニガイド

バーチャル・リアリティについて全体的に見渡すことができたところで、「自分の手を使って」その知識を深めていくことにしよう。入手しやすい機器やいくつかのソフトウェアの力を借りれば、この新たな世界を自ら探索することは必ずできる。

そこで本章では、一緒にバーチャル世界をつくっていこう！技術的な細かい点には立ち入らずとも、すべて整った環境、その背景、生命感、インタラクション、目的等々をどのように思い描き建設していくものかが、お分かりいただけるだろう。

ツール

バーチャル世界の創造に挑戦することは、かつてないほど簡単になっている。無料ソフト、オンラインで利用できる多くの解説、ますます入手しやすくなっている装置……。少しでもコンピュータの経験があれば、週末時間に納得のいく結果を得ることができる。

…▶カードボード、ヘッドセットのエイサー AH101とオキュラスクエスト

►機器

第3章で見たように、バーチャルに至るためのさまざまな装置は数多く存在する。しかし手始めとしては、小さな没入型ヘッドセットがよいだろ

う。第1の方法は、カードボードの中に自分の携帯電話を取り付けることである。この方法は非常に経済的[すでに携帯電話を持っていれば]だが、インタラクションの可能性は多くはない。単に周囲を見て、自分の視界を中心にして何秒かボタンをオンにし続けるだけである。

Windows Mixed Realityに対応する没入型ヘッドセット、例えばAcerの AH101のようなものを選ぶこともできる。これは相応な処理能力のパソコンにケーブルで接続する。初期のモデルの価格は約250ユーロで、ヘッドセット本体にプラスして二つのコントローラーがセットになっている。この種のヘッドセットは、あまりに極端な動きさえしなければ、その場での動きや回転を追うことができ、お得な価格で最良のバーチャル・リアリティを提供してくれる。また、ヘッドセットをコンピュータに接続するため、体験が容易だろう。ヘッドセットを直接操作できるUnityのようなソフトウェアを使えば、ファイルのコピーも全く必要なく、すぐさま新たなアイデアを試すことができるはずだ。

最後の選択肢は、完全自立型のヘッドセットを装備することである。例えばOculus Questのようなもので、これはパソコンに接続することもでき、そうすると有線のヘッドセットと同様に使える。このタイプは、自分で開発したアプリケーションを有線軽油でヘッドセットにインストールし、その後無線で試してみるような使い方をするには理想的である。こちらも、自由度6[三つの位置座標と三つの回転角度をキャッチする]の身振り用のコントローラー二つとヘッドセット本体から成り、大きな動きが可能である。価格はやや高めで、最低でも450ユーロ程度である。

これにはすべてが組み込まれているため、その他の付属品は一切必要ない。とはいえ実験は常に可能であり、例えばWiiリモコンや単純なブルートゥースのボタンを、少しの工夫により興味深い付加要素にすることはできるだろう。

►ソフトウェア

作業するための中心的なソフトウェアとして最も入手しやすいのは、Unityである。これは没入環境を数分でつくり出し、多少調整すれば自分のVR用ヘッドセットで直接結果を見ることができる。まず背景をつくり、さらに次に進んでインタラクションを加えよう。場合によっては、ちょっとしたゲームや完全にインタラクティブな体験を生み出すこともできる。Visual Studioのようなソースコードエディターを使えば、可能性は果てしない。

補完的に、Blenderのようなモデル作成用ソフト(「3Dモデリングソフト」)を使えば、オブジェクトを創作してUnityの中に導入することができる。Fusion360のようなCADソフトや、Sculptrisのような彫刻ツール、さらにはMinecraftのような創造的なビデオゲームを使うことも可能である。こうしたツールで3Dの立体やサーフェスをつくれば、それを変換してVRのシーンに入れることが

…▶Unityのインターフェース。ビデオゲームでもバーチャル・リアリティでも、さまざまに利用できる。

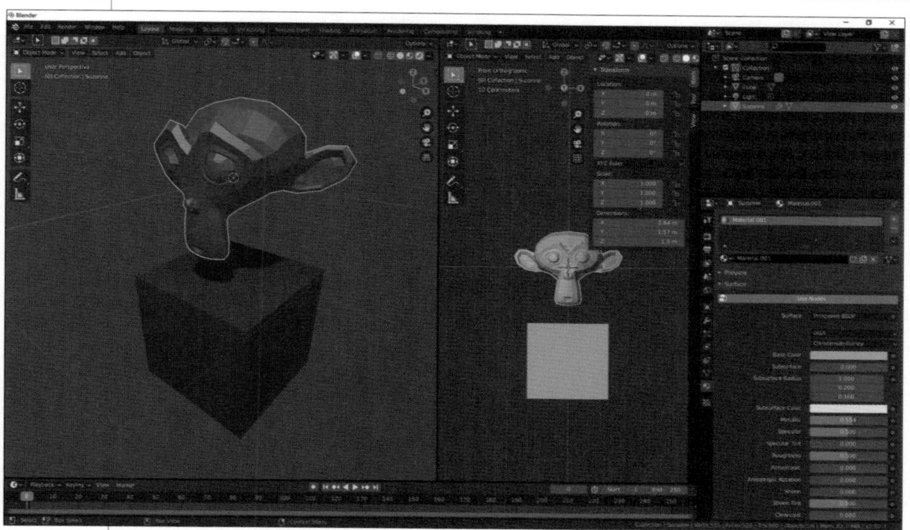

…▶Blenderはオープンソースの3Dソフトウェアである。バージョンごとにますます強力になっており、一部の有料のライバルを追い越している。

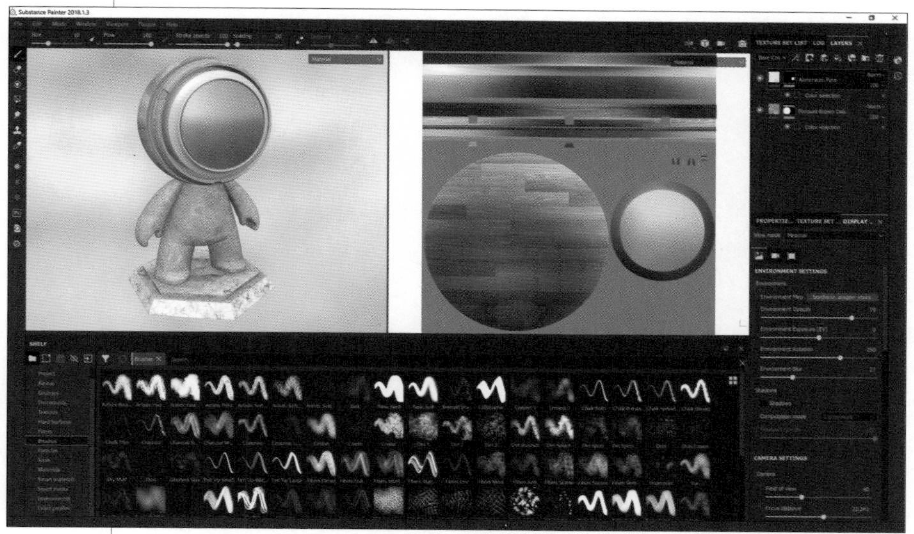

…▶Substance Painter。テクスチャーや素材を3Dで直接創造するソフト。開発者やアーティストにも利用されている。

できるだろう。

Photoshop、Gimp、Paint.netのような2D画像編集ソフトは、テ

クスチャーをつくり出し操作して3Dオブジェクトの外観を改良するのに理想的だろう。もっと独自にするには、Substance Painterのようなソフトウェアを試して、テクスチャーや素材をつくる別の方法を発見したり、光の物理的機能がどのようなものかをより深く理解したりするのも興味深い。こうしたいくつかのソフトウェアがあれば、バーチャル環境をつくる準備が整ったということだ！

►リソース

車輪を再び発明するようなことを避けて先人の業績から着想を得るために、われわれはインターネット上で多くのリソースをダウンロードすることができる。それぞれ自分の目的に応えるものが見つかるだろう。信じがたいようなシーンを集める、想像力に富んだビデオゲームを作成する、内部の装飾にとりかかる……。

もしアイデアが必要なら、数多くのサイトでさまざまなアーチストの作品が紹介されている。途中段階の画像を付けて創作過程を追ったものや、詳細な解説付きのものも多い。そうした人々の成果をなぞる練習をし、これこれの技術がなぜ、どのように利用されたのかを深く理解することは、始めるにあたってよい方法である。例えば*polycount.com*や*artstation.com*のサイトを挙げておこう。

補足として、あるいはよりよい結果に早く至るために、「すべて準備された」グラフィックリソースのサイトを使うこともできる。それらは信じがたいほど豊富で、無料のものもかなりある。バーチャル環境をすぐにつくり出すための3Dモデル、テクスチャー、素材、音響効果、高品質のパノラマ効果が手に入る！
ライセンスには必ず注意して、リソースの制作者の扱いは適切にしよう。自分の制作物のクレジットに名前を記載する代わりに3Dモデルを獲得するというのは、よい取引だ。例えば3Dモデルとして*cgtrader.com*を、素材・テクスチャーとして*texturehaven.com*を挙げよう。ライセンスの縛りがないCC0（クリエイティブ・コモンズ・ゼロ）であれば、そのリソースは何の拘束もなく利用できる。

しかしバーチャル・リアリティは単なる飾りものではない。インタラクションや知能、あるいは進んだ機能を加えるためには、スクリプトや完全なシステムをUnity Asset Storeで手に入れることができる。選択肢が広すぎて途方に暮れるほどだが、すぐに使えるパーティクルシステムや、動きだす前の人物、編集やビジュアルスクリプティングのツール、完成されたインタラクションモジュール等々を見つけ出すことができるだろう。バーチャル体験やちょっとしたビデオゲームを簡単につくり始めたければ、ほぼすべてが揃っている。そうすれば、最も難しいところから始めずにすみ、学ぶ時間がとれるだろう。

背景を設置する

バーチャル環境の基礎は、まず背景をつくることである。一つの世界全体が自分の周囲で構築されていくのだから、この創作の自由を利用しない手はない。われわれはどこにいるのだろう？　地球上？　宇宙？　限りなく小さいものの中？　過去？　ありえないような物理的規則に従うファンタジーの次元？　何であれ検討は可能だ。

►空間をつくる

手始めに、「背景画」を探さなければならない。これはわれわれの新たな世界の遠くの見晴らしとして置く360度画像のようなものである。劇場の舞台背景として描かれたフレスコ画や星空にも似たこの画像は、遠すぎて大きさが見分けられないような、すなわち人間にとっては数キロメートル先の、あらゆるオブジェクトを映し出すことになる。例えば山の風景や果てしない海、あるいはあらゆる球状の写真を選ぶことができる。われわれのバーチャル世界ではひとつひとつのピクセルを描かないため、それをこの遠い背景によって「カバーする」。

この段階でよくつくられる空は、創造する世界に光をもたらす。輝く太陽と曇り空では雰囲気は異なり、光は乱反射したり多少非現実的であったりしても、3Dで見せたいすべてのものを強調するように照射される。

…▶風景をリアルに写すHDR（ハイダイナミックレンジ）のパノラマ写真を、中空の球面上に引き伸ばす。

例として、少しずつ森林の風景をつくっていこう。湖のほとりには小屋がある。遠い背景は朝の空で、朝日がオブジェクトをある面から照らし、朝の空に残るくらい青がまた別の面から木の影をやわらかに映し出す。背景の像として使うテクスチャーは中空

世界のスケール

伝統的な3Dでは、世界のスケール（拡大縮小）はそれほど重要ではない。射撃ゲームでは、銃を目の前に構える方法についてそもそも自信がないので、台が高すぎても驚きはしない。しかしバーチャル・リアリティにおいては、何であれ一貫性のないものは目に飛び込んでくる。本能的に現実と比べるため、わずかでもバランスの悪いものがあると奇妙な感じがする。だから背景をつくる前には、基準を決めて正しい測定をすることが重要である。

スケールについては、人間が立体を見るときの仕組みについても考慮しなければならない。ものの大きさの知覚は目と目の間の距離に関係するが、その距離は人それぞれである。だから、バーチャルな目と目の間が本物の目よりも短かったら、バーチャルなものはすべて不自然に大きく見えるし、逆ならば逆になる。これはユーザーによって60～70mmと幅があるため、大部分のVR用ヘッドセットは目の距離を正確に調整できるようになっている。

動きを追うときのスケールもまた考えなければならない。バーチャルなオブジェクトが少し大きすぎても小さすぎても、ユーザーの頭の動きのほうは自らの移動スケールに従うため、そこに一貫性がないと脳はそれを解釈しなければならない。

だからユーザーの健康を守りたければ、スケールを尊重することだ！　それはそのゲームがユーザーを蟻や巨人にするのでなければの話だが、その場合は、大きさを変えなければいけないのは登場人物である。

球面の内側に引き伸ばされたパノラマ写真であり、われわれのほうに向けられた小さなスポットライトのような光源としての役割を果たす。太陽をくっきり描き、明確な光源を付け加わることで、光の計算を最適化することもできる。大部分の光がどの方向から来るのか、コンピュータがわかるようになる。

　次は地面を加えて、歩けるようにしなければいけない。地面は霧の中で見失うぐらい、あるいは遠くの背景と溶け合うぐらい、われわれの周囲から十分遠くまで作成しておく必要がある。われわれの3Dの森は、背景の木に覆われた丘の写真の上で、くっきり見えるようになるだろう。それで十分であり、肉眼では気づかれないだろう。すぐに少しの霧をおまけとして準備して、将来プレイヤーとなる人の感覚をほっとさせよう。大気の効果は必ずしも気づかれないかもしれないが、常にわれわれの周回に存在するものであり、ぞんざいに扱うとわれわれの世界のリアリティが失われてしまう。

►当座の環境

ビデオゲームやVRのエンジン［例えばUnity］に組み込まれたモデリングのツールは、ハイトマップ、すなわち黒と白で高度を表したテクスチャーから地表をつくることができる。ここではアイスランドにいると思わせるために、1km四方の地表から出発して、そこに谷の多い起伏、偶発的な生成、模造した浸食効果を加える。最後に、この地表はファセットの集まりという形で表示されるが、そのファセットは動的（ダイナミック）で、必要な場合はハイトマップから計算される。プレイヤーに近い地帯には多くのファセットが生成されるが、遠いところで生成されるファセットははるかに少ない。一種の「動く歩道」のように、地表はわれわれの足元では細かく分割されるが、遠ざかるとその構造は崩れる。

　バーチャルにおいては、物理法則を尊重しなければならない理

…▶グレースケールのぼかしからスタートして、地表の高度を具現化していく。

…▶Unityでは、高度や傾斜に応じて自動的に地表にテクスチャーを付けることができる。

由は何もない。それなのになぜ空に浮かぶ島を加えないのだろう？　とはいえそれを直ちに容易にできるわけではない。なぜなら、われわれの地表は洞窟を掘ることも、層でいっぱいにすることもできない。水平線上の点XとYに対して、黒と白のテクスチャーは一つの高度Zしか定めないからである。浮かぶ島を付け加えるには、小石の3Dモデルをつくって空に浮かべなければならないが、この作業は後にしよう……。

この地表はデフォルトとして単調だろう。だから草のテクス

…▶遠くなるにつれてだんだん詳細でなくなる3Dモデル。これにより森全体をうまく表すことができる。

チャーを選ぶこともできるが、いたるところに均一に適用するのはやめよう。幸いわれわれの地表の生成プログラムは、自動的にテクスチャーを配分することができる。高いところには岩、窪地には砂、勾配が30%を越えれば崖などである。地表はこうしてよりリアルになり、特色が出る。いくつかの石や岩をあちこちに置いて地表のなめらかな面を壊すこともできるし、背の高い草を加えてさらに現実感を出すこともできるだろう。

カナダ風の風景を夢見る向きもいようが、目下のところ、われわれの世界はむしろツンドラのようだ。今度は森をつくるために、木を加えなければならない。言っておくが、われわれのVRヘッドセット用に描くには、木はとても複雑になってしまう。1枚の葉をつくるのに数千のファセットが必要になりうるからである。それは前景の木々に対してならば場合によっては許せるが、背景に置くそれ以外の100本もの木に対してはできないだろう。

だからわれわれはここで、木々に適用する詳細度［level of detail：

…▶地面から見た最初の結果。反射する水面と木々と草ができた。

LOD」を決めて、最適化することにする。プレイヤーとの距離に従って、非常に精密な3Dオブジェクトから次第に単純化していく複数の中間のモデルを経て、パネル上に張る平坦でシンプルな像まで、3Dソフトは実にうまくやってくれる。実際、ファセットの「予算」を割り当てることも可能で、そうするとソフトウェアは自動的に相応に質を下げる。ときには高品質の3Dモデルのバーチャル画像から、「詐欺師（インポスタ）(imposteur)」と呼ばれるものをつくることもできる。すなわち詳細なオブジェクトが画面上で小さくなると、知らない間にすぐにそれにとってかわる単純な小さな像である。

時間を節約するために、われわれは最初自動的に森を生成できるツールを使い、次にデフォルトの配置を少し変えて、手作業で空き地をつくろう。小屋を建てるために、このバーチャル世界の中心に少し場所を残すことを考えなければいけない。そして湖をつくるために、水平面を加えよう。地表と水面の単なる境目が、湖の形に描かれるだろう。

►建物を建てる

われわれがつくった世界は目下のところ自然な状態で、その大部分はプロシージャル(手続き型)生成によるものである。これをもっと魅力的にするためには、さまざまなオブジェクト、さらには建物が必要だろう。そのオブジェクトはほとんどが単に三角形のファセットを多少とも密度濃く集めたものとなり、それがオブジェクトの「肌」や境界を決定する。実際には、もしバーチャル・リアリティの壁の中に頭を突っ込むことができたら、背景の裏側を見ることができるだろう！

小屋をつくるためには、3Dプリミティブ(基本的な形状)を使おう。ここでは円柱形である。本物の丸太と同様、それは見つけやすいし、便利ではないものの、多少の努力で魅力的な結果が得ら

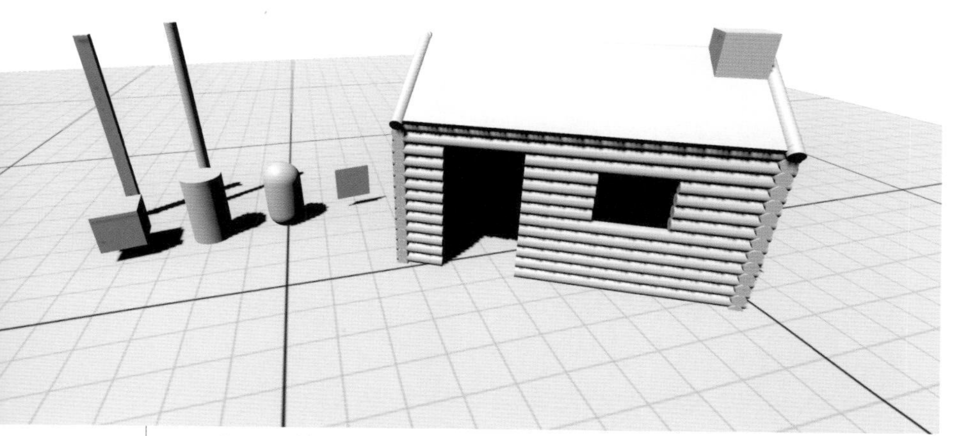

…▶プリミティブ[立方体、円柱、カプセル、平面]から出発してオブジェクトをモデリングする。

れるだろう。まず、探索を始めるためのベースをつくって、背景の試作品をつくろう。第2段階として、われわれの小屋はもちろんもっと繊細で細かい要素を付加してグレードアップすることもできるが、その場合は前もって工場(3Dモデリングソフト)でつくっておいて、バーチャル世界に導入する。

とりあえずデビュー作ということでシンプルにして、プリミティブを使おう。例えばUnityでは、立方体、円柱、パネルを自由に加えて、好きなように移動したり操作したりできる。われわれは小屋をつくるために、先人たちがしたような作業をしよう。水平方向の丸太をもう一つの丸太と交差させ、同様にして約1ダースの円柱を積み上げげて、小屋を形づくる。正確さを求めずにオブジェクトを「一気に」動かすのでもよいし、オブジェクトの点同士を自動的に張り付けたり、並べるのが容易になるよう一定の角度をつくったりする「磁力(マグネティズム)」を使うのでもよい。

もし均質性を求めるなら、手作業で座標を入れることができる。丸太が太すぎる場合は、細くするために「尺度ツール」を使お

▶変形する、大きさを変える、パラメータ化する?

プリミティブによるモデリングの場合、それぞれのソフトウェアに特性があるが、一般に三つのアプローチが可能である。すなわち、オブジェクトの大きさをパラメータ化する、スケールを変える、「点を引っ張る」。

最初のアプローチが最も自然である。円柱の直径と長さを——例えばメートルで——選ぶ。そうするとそこから、丸太、コイン、フリスビーなどをつくることができる。さらに円柱の繊細な丸みや下位区分等を選ぶこともできる。

ソフトウェアには必ずしもオプションはないが、ときには単にオブジェクトの大きさを変えることも必要である。例えば熊手の柄の形にするためには、平均的な円柱を、X＝5%、Y＝5%、Z＝120%という率で細長く伸ばすことができる。これは他の2次的影響の恐れがあるため、本来の大きさを一気に固定するほど正確にはいかない。円柱を引き伸ばす前にソフトウェアはオブジェクトの元々の形をメモリーに記憶しているため、テクスチャーや寸法、その他幾何学的な指標もゆがめられる恐れがある。

メッシュの編集、すなわちオブジェクトの点——頂点——を選んで好きなように置き直すこともできる。円柱は円錐になることも、管になることもできる。多くの場合、プリミティブはモデルの基礎となるが、そのモデルはどんどん複雑化している。それはどこまで行くのだろう？

モンキーレンチ？　車？　人物？

ここではシンプルであるために、そしてUnityから離れないために、プリミティブを変形させる。しかし実際の計画では、すべて揃ったモデリングソフトの利用を優先するとよい。

う。短かすぎる場合は、同じツールを使って縦軸に合わせて引き伸ばす。理想としてはちょうどよい大きさの丸太がすぐに欲しい

…▶一貫性のある素材といくつかの付属品で、モデルを適切に設定する。

ところだが、はじめとしては完璧な小屋になるだろう。

オブジェクトは重力に従わず、デフォルトとしてその位置にとどまることに気づくだろう。これは小屋を建てるにあたって、現実よりもはるかに都合がよい！

今度は引き伸ばした立方体で基本的な骨組みをつくり、次いで屋根用の二つの平面をつくろう。視界のために窓も用意してみよう……。

[将来の]ウサギをわれわれの[将来の]野菜畑から遠ざけるため、小屋の周りに小さな塀も付け加えよう。様々な技術を活用するために、インターネットですでに準備されている木製のモデルを探そう。例えば膨大なリソースが見つかるUnityのアセット・ストアでは、無料のものも多く、また数ユーロで利用可能なものもある。ここでわれわれの計画にドラッグ＆ドロップできるものを見つければ、時間の短縮になる。ここではローポリ(low poly)の、中世のものを集めたパックを選ぼう。これはシンプルな外観でアニメに近く、要するにわれわれの丸太小屋としっくりいく。それを

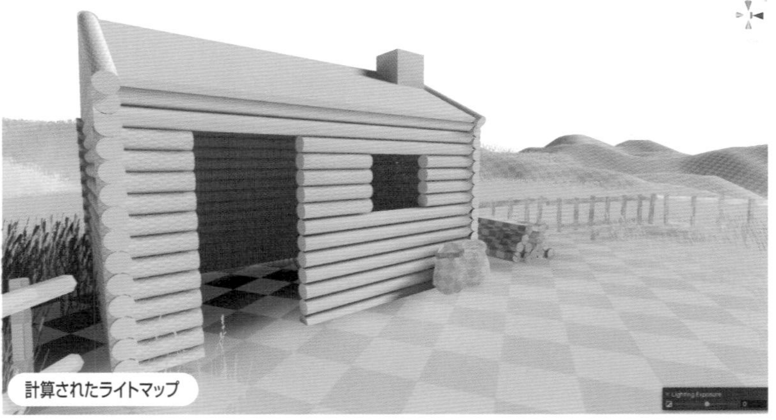

…▶「グローバル・イルミネーション」による小屋の照明。内部はドアと窓を通して跳ね返る光を利用している。

導入すると、いくつかのプレハブ[前もってつくられたもの]が、われわれが計画しているものの中に現れる。小屋の周りにそれらを置いて、調整する。われわれの小屋はまだ真っ白なのに、それらは自動的に木の色になっている！　だから素材をつくり出し、色や木の質感を選んで小屋に当てはめていこう……。ほら、少し調和がとれてきた！

►光と影

小屋であることは分かるが、とても本物らしくはない。太陽がつくる影が非常に強調されていて、小屋の内部はかまどの中のように黒く、全体が地面の上に「浮いている」ようだ。今のところ100％動的（ダイナミック）な照明で、3D環境内で動くオブジェクトに対しては完璧だが、われわれの小屋は動かないので、この効果を視覚的に最適化して改良しよう。

VRのソフトウェアは、一般に「静的なオブジェクト」のオプションを提供している。これによりそのオブジェクトの位置は固定され、3Dエンジンはシーンを先に最適化する。すなわち、オブジェクトを一群としてまとめ、素材を単純化し、光を前もって計算するのである。光を再現するのは難しい。とくにオブジェクトからオブジェクトへさまざまな反射がある場合、1秒に数十回の計算をするのは不可能だ！ しかし空や地面も含めて動かないすべてのものについては、ライトマップのテクスチャーをつくることができる。これは発光性の絵画と少し似ていて、光の効果を表面上に再現することができる。そのためには、小屋、地面、木々、石、太陽を「静的」なものにするように選ぶ。そして光のパラメータをいくつか調整し、レンダリングを始める。数分で、すべてがはるかに現実っぽくなる！　この作業を、オブジェクトが少し移動するたびに繰り返す。というのも、この偽物の光は表面に「張り付いて」、オブジェクトの動きに従わないからである。

オブジェクトをちりばめる

背景がすべてではない。多少の動きとインタラクションも必要だ。

►動くオブジェクトを加える

手始めに、箱をいくつかつくって小屋を仕上げよう。木のテクスチャーの単純な立方体で十分だ。今回はそれらを静的ではなく物理的なもの[専門用語では剛体：rigid body]として定める。つまりこの箱は自然に落ちることもあるし、操作するとぐらぐらすることもある。いくつか積み上げることはできるが、もし「ゲーム」を始めたら——それまでは時間が停止していたとして——それらは重量で落下し、さらに地面を通過して無限に落ちていく！

…▶物理シミュレーションを使えば、多少の調整後、非常に満足できる動きを自動的に生成できる。

そんな驚きを避けるために、地面をパラメータ化して動きのないものにし、衝突する表面と定義しなければならない。そうすれば箱は地面にぶつかり、[当座は]その場にとどまって、地面自体が下のほうに落ちることはないだろう。

楽しいことが好きなわれわれとしては、軸、長い腕、一方に石の玉、もう一方におもり——はるかに重い——を使って、一種のカタパルトを手早くつくってみよう。ゲームを始めると、カタパルトは傾いて石を上のほうに投げる。これは物理的規則に従う自動的・模倣的な動きであり、自分でその動きを生み出す必要はない。

この段階ではカタパルトはぐらぐらし、箱はバーチャル環境を

自ら世界に入る

われわれのバーチャル世界は形を成していくが、われわれはそこを本当に探索することはできない。環境をつくっても、最初は壁を通り抜け宙を飛ぶ幽霊のように行動することになる。だから、肉体をもって地上を移動することを考えなければ！

そのためには、われわれのVRシステムの中心と一致する背景の床に、タイルのようなものを加える。これは一般に、人が移動する現実の部屋の中央でもある。これによって、移動するときの縮尺を1:1にすることができる（実際の1m=バーチャルの1m）。

とはいえ自宅にとても広い部屋がない限り、数メートル四方では広大なバーチャル世界を探索するには十分ではないだろう。だからもっと遠くに行きたければ、数メートルの瞬間移動ができなければいけない。そのためむしろ現実の部屋の痕跡を押しやり、その部屋の中で動きまわって、オブジェクトに近づき、身をかがめてつかめるようにしよう。瞬間移動は、今なおバーチャル内で頭[と胃]がぐるぐるせずに移動する最良の方法である。

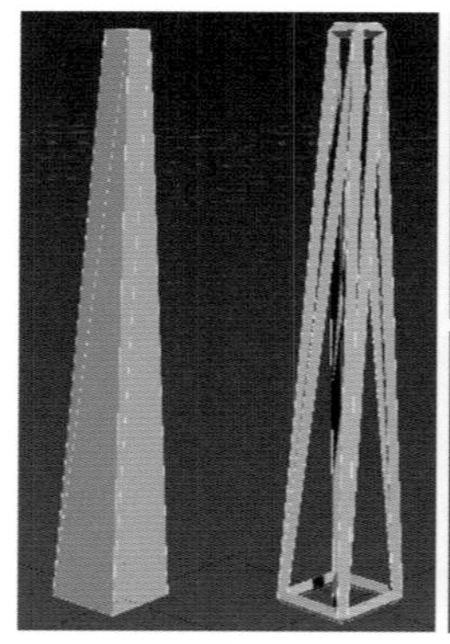
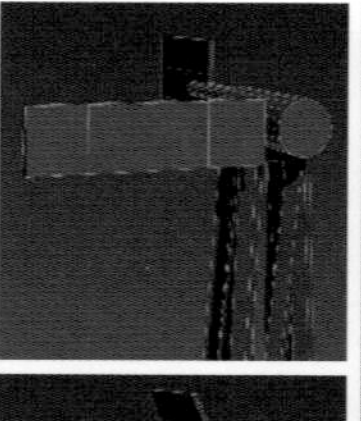

…▶風車のモデリングの各段階

始動させたとたんに落ちるが、コントロールの余地はほとんどない。ただわれわれは、物理的なオブジェクトをプレイヤーの手につけることはできる。そうするとそれもまたケースに「ぶつかり」、押したり揺らしたりすることができる。

今われわれの手はバーチャル世界でもミトン手袋をはめたときぐらいの器用さはあるため、さらなる精度を求めるのであれば、オブジェクトをつかまえて固定したまま手に保ち、微妙に動かすことも可能である。

►もっと複雑なオブジェクトをモデリングする

ここまではプリミティブしか使わなかった。これはわれわれのバーチャル環境をつくるソフトウェアが提供する中でも、最も単純なオブジェクトである。この立方体、球体、円柱をベースに世界全体を創造することもできるが、オブジェクトが本当に精密にモデリングできれば、すべてはもっと現実に近くなるだろう。

そのためには、3Dモデリングソフトを使えば、形を生成し、ボリュームを与え、位置決めをし、各パーツ全体をまとめ、色や素材も含めて真に複雑なオブジェクトを生み出すことができる。

今や、ウエスタン映画のような小さな風車をつくり出すことができそうだ。これはチューブ構造に変えたピラミッド、軸の役割を果たす円柱、羽根を表すために多少手を入れた約20の直方体から成る。羽根はすべて円柱に「つないで」、一緒に回るようにする。そうしたら、ファイルをプロジェクトフォルダに入れて、すべてをUnityにインポートする。

►アニメーションと振る舞い

ここまでくれば、風車を環境に加えて、回転させることができる。

そのための第一のアプローチは、3Dモデリングソフトの中にある同様のアニメーションを最初から使うことである。典型的な手法は、専用のモードをアクティブにして、時間の経過に伴うオブジェクトの位置を選ぶという方法である。まるでアニメを制作しているようだ。風車の回転は、キーとなる瞬間ごとに定める。例えば1秒後に90度、2秒後に180度、3秒後に270度という具合である。一度決めたら、いかなる3Dオブジェクトもそうであるように、この動きはエクスポートすることができる。それをそのままUnityに読み取らせて「ループ」モードを選べば、この動きはいつまでも繰り返される。

もう一つのアプローチは、アニメーションをUnityの中で直接つくっていくことである。Unityでは、コマごとにオブジェクトの位置や角度をいつでも調整できるように、自分で数行のスクリプトを書くことができる。ここではシンプルな風車であるため、このようになる。

```
moulin.angle.z=90×temps;
```

この小さな方程式がコマごとに計算され、風車のオブジェクトはZ軸に対して、1秒後は90度、2秒後は180度[2×90]、3秒後は270度[3×90]となる。この調整は非常にシンプルなので、いろい

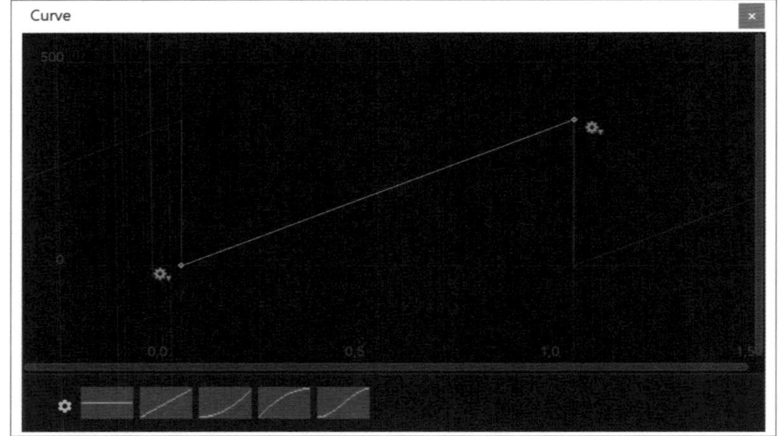

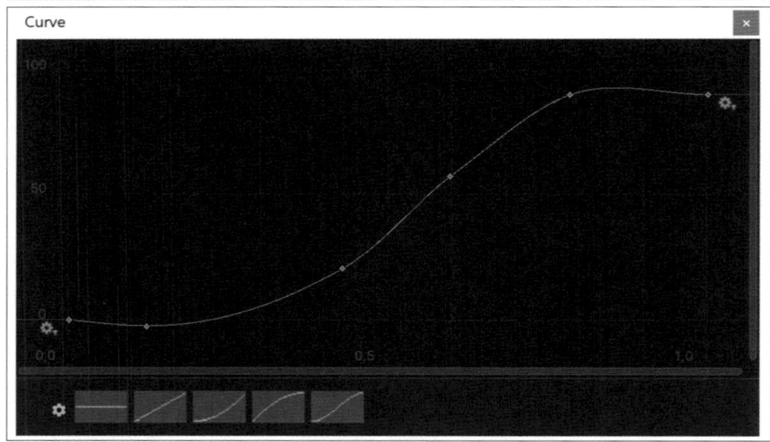

…▶アニメーションカーブの決定。上は単純な線状の動き。下は柵の開き戸の開き方に対応するもっと興味深いカーブ。

ろと想像がふくらむ。例えば、風車の速さをVRのプレイヤーの行動や風の強さに従って変化させる、あるいはボタンの「オン・オフ」に応じて回したり止めたりする、など。モデリングソフトの中で多くの調整を求められる作業を、ここではバーチャル環境の内部でリアルタイムに直接コントロールすることができる。

もっと複雑な動きを、曲線を使ってコントロールすることも可能である。風車の動きは一本の数学的な線で簡単に描けるが、風で揺れるドアだったらどうだろう？　この動きは物理エンジンで再現できるが、さらにコントロールするには、時間経過ごとの角度を示す曲線を――直線で、または通過点を定めて――書けばよい。原則は風車の場合と同様だが、複雑で面倒な数学的な方程式を書かずに、時間との関係で角度を決めることができる。

雰囲気を整える

われわれのバーチャル環境は単に触知できるオブジェクトだけから成るのではない。いくつかの特殊効果で場面を補おう。

►パーティクルシステム

各オブジェクトを一つずつ動かして背景やオブジェクトを表すことはできるが、われわれの周囲の現象には、それほどはっきり形を成さないものも多い。煙、ホコリ、火、雨……。それらはあまりにも小さい要素、またはあまりに数多い要素から成る現象で、一つずつつくって動かすことはできない。そこで、「パーティクルシステム」を利用する。これは非常に多くの要素から成るもので、それらが共通の動きに従う。例えば、下のほうに落ちる、風の影響を受ける、地面に跳ね返ったあとで消える、または空のほうに上がって散らばり、数十メートル行って消える、など。

これを使って、われわれの小屋の前にたき火を加えよう。火自体のためには、輝くオレンジ色のパーティクルのシステムを使う。われわれはそれぞれの赤熱したガスの微粒子を本物のようにシミュレートするのではなく、小さな光る円盤をつくる。そのそれぞれが数立方センチメートルの火を表すことになる。数の効果とすべてのパーティクルの重ね置きによって、ほかのものには見えない……。

煙の場合は雲のテクスチャーを真似た、もっと大きなパーティ

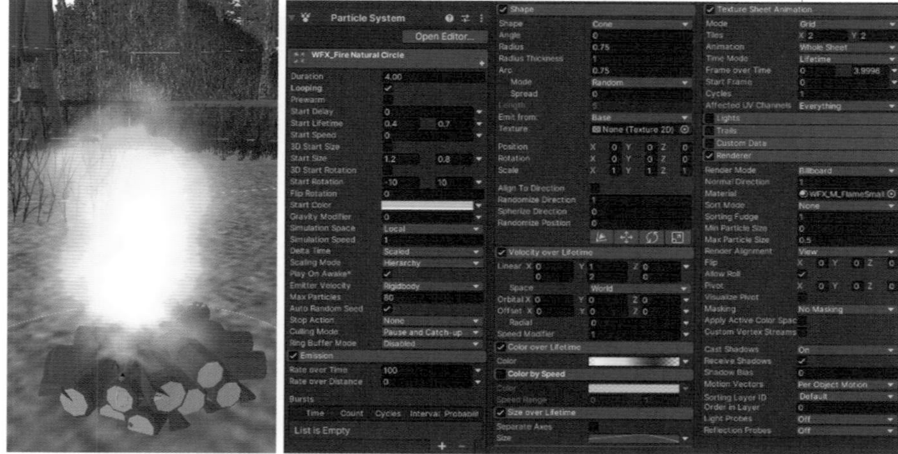

…▶パーティクルシステム。Unityで調整可能な項目は多い。

…▶パーティクルの組み合せとバリエーション。煙、火の粉、風の効果を追加。

クルによる第2のシステムを重ねる。初速を遅め、数秒の「生存期間」を与えることで、パーティクルが空のほうに上がる時間ができる。もっとリアリティを与えるために、偶発的な風の効果を加えることもできる。そうすると、もくもくと立ち上る煙は地表か

バーチャル・リアリティが詐欺師（インポスタ）を暴く

映画であれビデオゲームであれ、アニメーションでは伝統的に詐欺師（インポスタ）を使うことをためらわない。これは別名ビルボードまたはルアー［132ページ参照］とも呼ばれる。典型的には、遠くの木や建物をモデリングすること［または描くこと］を避けるために、像が常にユーザーのほうに向くようプログラミングした画像を使うほうが好まれる。リアプロジェクションの効果で、視点があまりにずれない限り、写真や2Dデッサンから直接取った非常に細かい細部の恩恵を受けることができる。労力はかからず、気づかれることもない。

バーチャル・リアリティはわれわれに一つの目に一つという二つの視点を与えて、大きさや距離を知覚する。しかしこの知覚方法はわれわれが生まれたときから長年脳が実行して精緻にしてきたものであるため、なおのこと人間の感覚をだますのは難しい。ビルボード、法線マップによるテクスチャー、人工的な反射のようないくつかの巧妙な策も、目にはすぐにばれてしまう。同様にパーティクルについても、頭を動かすと、煙が「小片」でできていることはしばしば見破られる。ましてや水面のような効果は言うに及ばない。これに関しては、バーチャル・リアリティでは、20年来使っている技術の大半がそう簡単には機能しないのである。

ら遠ざかるにつれて散らばっていく。

音の環境

ここまでわれわれは視覚に焦点を当てて、ほかの感覚については考えていない。嗅覚と味覚はしばしば実際上範囲外であるが、とはいえバーチャル・リアリティは人間の大部分の知覚を再現することを目指すものである。皮膚感覚は後ほど取り上げるとして、ここでは聴覚に関心を向けてみよう。多くの場合、［写真を通して、

物語内容の内と外の音

どんな作品でも、物語内容は虚構内の要素の総体として定義できる。だから登場人物が話す声や床に落ちる物体の音は物語内容内のものであり、それに対してナレーションや雰囲気音楽は物語内容外のものである。映画でもバーチャルでも、この二つのコンセプトを行き来できる。例えば、まず登場人物がラジオで聞くのは物語内容内の音楽だが、その音楽は、視点が変わったり、ラジオと関係のない場面に移ったりすると、物語内容外の背景音楽になる。

バーチャル・リアリティでは、虚構内のあらゆる音を空間内に位置づけなければならない。つまり3Dオブジェクトに結び付けて、ユーザーの位置や方向に応じてヘッドフォンで左右のバランスをとれるようにしなければいけない。反対に、雰囲気音楽はユーザーの位置に関係がない2Dステレオサウンドになる。

さらにはガラス越しに］何かを見るときと、完全にその物のそばにいるときとでは、聞こえる音は全く違う。実際われわれの知覚の中で、耳にする音は非常に重要な役割を果たしている。

われわれは映画制作のように作業しよう。何よりもまず、どんな森も沈黙してはいないことを指摘しておく。だから周囲の風やざわめく枝の音を付け加えよう。例えばフリーアクセスのウェブサイト *freesound.org* は数分間のトラックを提供しており、プロジェクトにも利用できる。一般に、音響処理ソフトで音声ファイルを開いてそれをモノラルに変換し、ループさせる。そうでないと、プレイヤーは森自体が数分毎に「再初期化」されるような印象を受け、信憑性が落ちることになる。

周囲の連続したこの音は2Dにしよう。そうすることで音が空間の中に位置づけられず、一定の音量のままわれわれとともに移動するような感じが少しする。プレイヤーが360度頭を回転させてもその効果が表われず、音が周囲の背景に従うのではなく頭に固定されたままのような印象を与えるために、ここではステレオ音源は使わない。

鳥のさえずりや小枝のかさかさした音のような分かりやすすぎる音や、背景がはっきりしすぎている音も避けなければならない。あとで場面の雰囲気を変えたければ［鳥がわれわれの存在に気づいて反応する、自分が地面を歩く音が聞こえる］、音が繰り返されたりひたすら続くようにするのではなく、専用のトリガーを加えることができる。

非常に抽象的で目立たない音楽であっても、この段階で音楽を組み込むのも面白い。それは映画のオリジナルサウンドトラックのように観客の感情を引き起こしたり強めたりできることから、リアリティというよりその人に起こしたい心の動きのほうに関係する。この場合にステレオ音楽が採用されるのは、そうした音楽は背景自体から生じるのではなく、われわれの体験全体の向こうに「浮かぶ」ものであり、物語内容から外れて、われわれの頭に直接響くようなものだからである。

静かすぎる、少しインタラクションを！

今のところわれわれは主に環境や背景に目を向けてきたが、バーチャル・リアリティといえばとくにインタラクションである。

►ちょっとお散歩……

バーチャル環境を訪れるためにカメラを一つ付け加えると、実際には三つの要素が生み出される。頭のカメラ一つと、両手に持つ二つの3Dモデルのコントローラーである。これらの要素によって、バーチャル世界を訪れて、インタラクションをすることができる。われわれもまたいわばこの世界の中の存在となり、あらゆ

…▶伝統的な瞬間移動システム。プレイヤーの手から発した放物線が地面上で円柱形として具現化し、瞬間移動後にプレイヤーの分身(アバター)がここに位置づけられる。

る行動のベースとなるアバターとなる。

目下のところわれわれは単純な瞬間移動機能と、オブジェクトを動かすために手につけた「手袋オブジェクト」を追加しただけで、それ以上のものはない。

空間内の移動に関して、瞬間移動はVR酔いを避けるための最良の方法であるが、それは潜在的に方向を見失わせるものでもある。だからこの細かな点を心配する必要がないように、プレイヤーの周囲の世界の方向が決して変わらないように気を配らなければならない。さらに、身体が移動しているような感覚があり到着が速いにもかかわらず不調を感じずにすむように、非常に速い[例えば10分の1秒]タイムスリップのような効果を加えることができる。

さらに、背景の配置を考えて、VR用ヘッドセットで動きが追

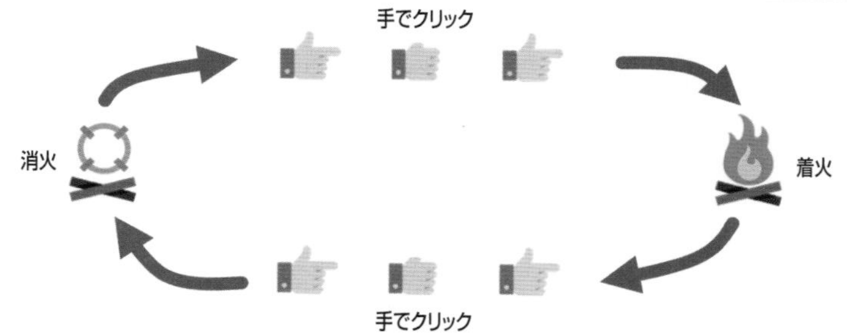

…▶たき火のインタラクションを管理するためのシンプルな状態マシン図。

える範囲で、現実空間内での数メートルの移動ができるようにする必要がある。例えばプレイヤーが興味深いゾーン［例えば木を切るなど特別な活動が用意されている場所］に近づいたら、すぐに瞬間移動の到着点が巧みに仕掛けられて、プレイヤーが薪の山と斧と切り株の間の理想的な位置に着き、続いて小さく横移動してオブジェクトをつかんで操作しやすいようにする。これらの通過点は、「瞬間移動の磁石」のように作用して、ナビゲーションを容易にしてくれる。

►アクションを開始させる

今度はいくつかのインタラクションを付け加えよう。最初の技術は、バーチャルで「クリックできる」アクティブゾーンをつくることである。これは2Dソフトウェアのボタンに相当する。この方法を使ってたき火に火を点けよう。

バーチャル世界にプレイヤーとして入ったわれわれは、その瞬間から自分の手の位置によって表されることになるが、その手はコントローラーや、もっとリアルな3Dモデルの5本指として表示される。次に、プレイヤーの手が近づくと反応する一種の影響範囲を、薪の山に対して定める。あとは、コントローラーのボタン操作に気を配れば十分だろう。ボタンが押されてコントローラー自体がこの範囲内にあれば、アニメーションまたはスクリプトが

…▶弧の上に投影される手の位置を計算して開き戸の角度を出し、扉が自然な状態になるようにする。

自動的に始まって、炎を表すパーティクルシステムが働く。

火を消すときも、まさに同じシステムを使うことができる。交互に作動する二つの検知範囲［一つは火を点けるため、もう一つは消すため］を定めてもよいし、あるいは同じスクリプトを使って、火を制御するパーティクルシステムの実行状態を逆にするという一石二鳥を狙ってもよい。

►もっと進んだインタラクション

もっと自然なインタラクションを実現するために、身振りによる開き戸の操作を試してみよう。バーチャル空間で取っ手をつかんで、実世界で扉を開く動作を完全に真似て少しずつ動かしていけば、例えば半分だけ開くかもしれない。しかし、もしリアルな蝶番を付け加えて開き戸を100％物理的なものにしようとしたら、その動きは非常に不自然で、先ほどのカタパルトと似たような動きになるかもしれない……。もしプレイヤーの手に直接開き戸をつなげたら、それは腕で運ぶ単なる板になってしまうだろう。そこでここでの解決方法は、インタラクションとアニメーションを組み合わせることである。

ベクトルの計算を介した数学と三角法が、最良の味方になってくれるだろう。まず、プレイヤーの手が実際に開き戸を操作するのによい位置にあるかを確かめよう。そのためには、「検知範囲」は取っ手を中心とするのが理想的である。前述のインタラクションとの唯一の違いは、プレイヤーが単に「クリック」するだけで、後は自動的に動くに任すのではなく、開き戸を開くためにボタンを押し続けなければならないことである。

►音入れ

すぐには思い及ばないが、音はわれわれの行動にリアリティを与えるためにとても重要である。これには二つの可能性がある。

- ▶インタラクションのまさにそのときに瞬間的な音を生成させる。例えばプレイヤーが開き戸の近くでボタンを押したときに、取っ手をちゃんと握ったことを確認するためのカチッという音。同様の音を半ダースほど集めた小さなライブラリーを準備して、非常に人工的な同じような効果音が数秒間隔で繰り返されるのを避けることもできる。
- ▶時間と共に変化するさまざまなパラメータと関連して、連続音をコントロールする。例えば、開き戸が動くときの小さなきしみ音の大きさを、割り算ですぐに出る回転速度に関連づける。

こうしたことはすべてもっと正確に組み合わせることもできるし、より複雑な行動に応じて力学的に生成することもできる。よく知られているのはカーレースのビデオゲームで聞こえるモーター音で、非常に多くのパラメータが関係して、状況に応じた音を出す。これは音量の操作や個別の音の始動よりもはるかに進んでいる。

それから、プレイヤーの手の動きに従う開き戸の理想的な回転を、それぞれの瞬間ごとにできるだけ正確に計算していく。取っ手が開き戸の蝶番を中心として描く弧を上から見たと想定すると、その円上でプレイヤーの手に最も近い点を計算することができる。実際蝶番から手までの距離はこの計算に重要ではないので、単に蝶番との関連で手の角度を出して、それを直接開き戸に適用する！

このように単純に角度を変えていけば開き戸は手の動きに従うが、あまりにうまくやりすぎると開き戸は手から離れたがらないのだ！　だからボタンを離すと計算を中断し、開き戸がその位置にとどまるようにプログラミングしよう。さらに、プレイヤーの手が取っ手から離れすぎたら、インタラクションが中断するように決めることもできる。

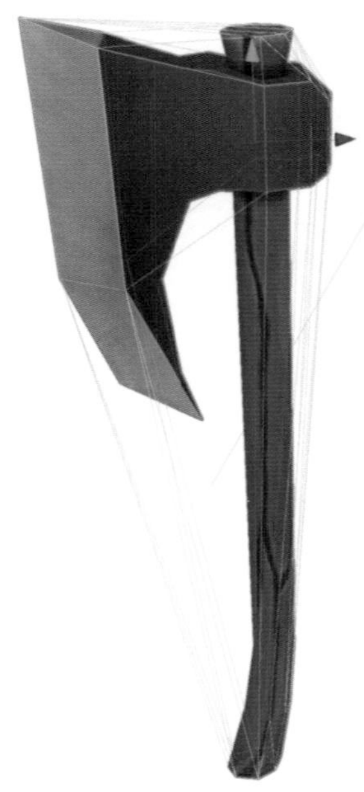

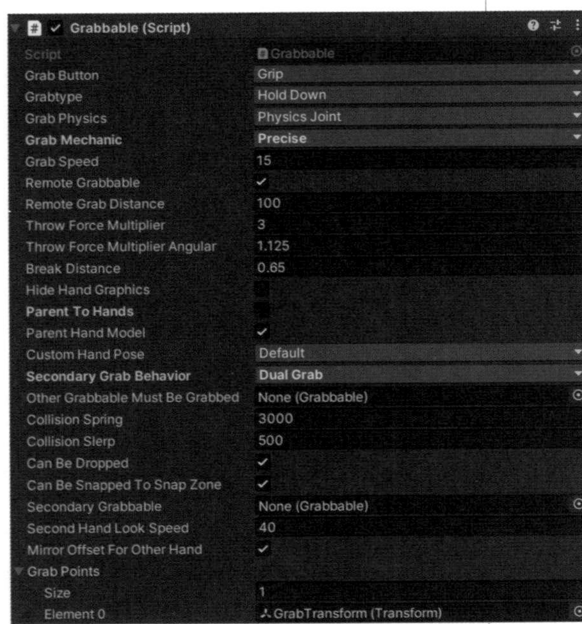

…▶オブジェクトの操作の選択肢。自動的に握るか決まりを定めるか、必要な手の数、ボタンを押したままつかむか否かなど。

要するに、開き戸を支柱からもぎ取るという考えはない。だからプレイヤーが非現実的な動きをして「ルールから外れたら」、そうした動きを解析するのはやめたほうがよい。

開き戸は物理シミュレーションによって拘束されることはなく、限界も論理もなく360度回転することを妨げるものは何もない。そこで、たとえ許容される可動範囲を超えようとしても、角度は0度〜90度の間を越えてはいけないと単に決めておこう。そうするとすべては一貫性を持つようになり、もしプレイヤーの手が限界よりも遠ざかって開き戸が手に従わなくなると、まるでプレイヤーが引き下がらなければならないかのように、インタラクションは中断される。

►オブジェクトをつかむ

バーチャル・リアリティでは、ユーザーは誰でも反射的に手で直接オブジェクトをつかもうとするだろう。これは小さなオブジェクトであれば簡単にできる。

この種の機能を提供するUnityの数多いリソースの一つ、例えばOculusやSteam VRが標準的に出しているものを利用できる。それらは元々はそれぞれのヘッドセットモデル用に開発されたものであるが、ほかのシステムにも適用できる。原則は単純だ。操作したいあらゆるオブジェクトに対し、その機能を担うスクリプトを追加して、可能な範囲の自由度やオブジェクトの大きさ、アクティブゾーン、重さを調整すればよい。

われわれのバーチャル世界では、木を少し切るために斧をつくり、たき火にくべよう。それからスクリプトを付け加えよう。

斧がわれわれの手に付いていて操作ができるようにするためには、「オブジェクトを手で握る」必要がある。重要なのは、斧が「物理的なもの」でもあり続けなければならないことである。それは斧が他の要素や背景自体にぶつかったり、自然なインタラクションを生み出したりするためであり、またとくにそれが壁をすり抜けてしまうような印象を与えないためである！　この場合、このオブジェクトはわれわれの動きに従おうとはするが、それでもリアルな感じにブロックしたり跳ね返ったりする。まるでわれわれの手に、非常に強力だがよく伸びるゴムバンドでつながれているかのようだ。

もっと現実感を出すために、大部分のバーチャルのコントローラーには一つまたは複数の小さく振動するモーターが装備されていて、触覚的なショックを引き起こすことができる。一度のすばやい振動、連続的な震え、歯車のような刻み、強い振動。こうした補足的な感覚フィードバックは視覚と身振りの間の橋渡しとなり、インタラクションの信憑性を大きく増す。

►オブジェクトの身振りによる利用

今やわれわれは斧を手にしており、これを使って環境とインタラクションをすることができる。デフォルトとしては、オブジェクトと衝突させて、それをわれわれの周囲に投げつける。

例えば斧を薪に打ち下ろして二つに割くといった特別な機能を始動したければ、そのためのスクリプトをつくらなければならない。物理エンジンだけで薪割りをするには、［まだ］十分完成されていない。

斧の頭が薪に接しているかをそれぞれのコマごとによく見て、そうなったら即座に元の薪を二つの半分の薪に替えるだけでよい。そのときに偶発的に少し速度を加えて、薪が「飛び跳ね」、衝突点の両側に自然に倒れるようにする。もっとリアルにするならば、衝突時の斧の速度と刃の向きを測定して、斧が少しでも薪に触った瞬間に「自動的」に木が切れてしまわないようにする。そうしないと、プレイヤーが薪の山に斧をぞんざいに置いたときにどうなるかを想像してほしい！

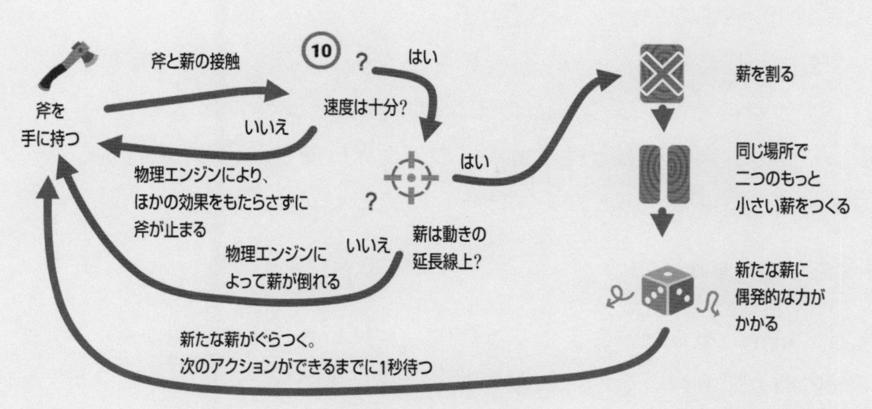

…▶チェックと結果の連鎖により、インタラクションは複雑になりうる。

磁力(マグネティズム)

身振りによる自然なインタラクションは非常に魅力的だが、プレイヤーが自由に動くことを考えると、ある種の混乱ももたらす。この混乱は、利用しやすさと性能という意味で、コントロールできるようにしておくべきである。

小さなスクリプトを補足すると、位置と方向の一種の磁力のおかげで、プレイヤーが斧を正しい方向で持っていることを確認することができる。この磁力は、プレイヤーが手を閉じるときに、手の不正確さを補うことができる。だからプレイヤーは、あまり考えなくても自然かつ自動的に、完璧に斧の柄を手にしている。

また、例えば薪を二つに割る前に切り株の上に置いた場合のように、プレイヤーがのちのインタラクションの基礎になるオブジェクトを特別な場所に置くと、二つ目のタイプの磁力が有効になり、自動的に薪を中央にまっすぐに置き、プレイヤーの後のアクションを容易にしてくれる。

そこに知性はあるか? 人工知能

ここまでわれわれはバーチャル世界をつくり、プレイヤーに探索といくつかのオブジェクトとのインタラクションを提案している。しかし、現実世界と同じようにこの世界に働きかける「知能」に驚かされることがあったら、はるかに楽しくなるだろう。

►知的な動きと筋書づくり

本当に知能のある動作主をつくる前に、われわれの背景に何か反応性のある振る舞いを付け加えるとよい。すなわちアニメーションや、少し活気をもたらすできごと［プレイヤーの行為に依存すること、または偶然的なこと］である。

われわれのたき火に人工知能を与えることができると考えるのは行き過ぎだろうが、少なくとも順応性のある振る舞いを加えることはできるだろう。われわれはすでに「クリック」して火を点けることができたし、斧で薪を準備することもできた。そうなると、このたき火の周りに多くのインタラクションを想像することができる。

- 火を点けると、その火は薪を足さないと［木片をたき火のベース部分に投げる］、燃え続けない。
- 火の大きさは最初の1分で次第に増していく。その大きさは燃えている薪の数による。
- くべた薪は、小さな薪なら30秒で、完全な薪なら2分で燃え尽きる。
- 完全な薪は火が少なくとも2分前から点いていないと燃え尽きない。プレイヤーは点火するときには、まず小さな木を切らなければならないことになる。
- 風はもちろんわれわれのパーティクルシステムに影響を及ぼ

す。燃えている木切れが3本に満たないときに風が強く吹きすぎると、火は自然に消える。

▶ プレイヤーが火から10メートル以上離れると、火は数秒のうちに自然に消える。

こうした決まりは複雑なように思えるかもしれないが、10〜20行のプログラムコードで十分機能させることができる。見かけは複雑だが矛盾がないため、火の動きは一貫性のある自然なものになるだろう。

►動作主を追加する

さらに進めるために、知性のある動作主をつくり出すことができる。例えば森の中を散歩するウサギ。そのウサギが3秒ごとに任意の方向に数歩飛ぶように設定しよう。さらにリアルにするために、歩数や次に飛ぶまでの時間を変えることもできる。また、それを例えば1日のうちの決まった時間や、ウサギのエネルギーそ

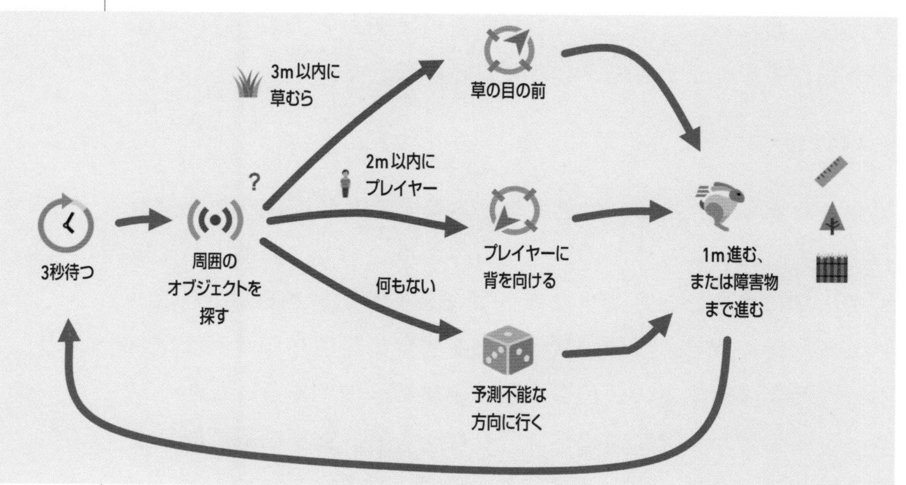

…▶動作主の振る舞いはしばしば繰り返される。それはプレイヤーに依存することもしないこともある。

の他のパラメータと関連づけることもできる。

もしウサギが危険なほど木に近づいたらすぐにその動きをやめるように設定し、次のサイクルではもっと自由な方向に向けて動き出せるようにプログラミングすることもできる。

今度はこのウサギが自分の周囲に草むらを見つけたと想像してみよう。そんな食料の宝庫から3m以内に近づくと、ウサギは自動的にその方向に行って草を食べる。そうしたらプレイヤーはコントローラーで草むらを移動させ、ウサギを引き寄せるための一種のコースを描いて楽しむことができる。例えばあらかじめつくっておいた囲いの内部でもよい。

ウサギが人間を恐れるようにすることもできる。もしプレイヤーがウサギから2m以内に近づいたら、ウサギはすぐさま反対方向に数メートル逃げて避難する。おそらくプレイヤーが食べられる草むらをウサギに提供しなければ……。

ここでも、簡単ないくつかの規則と、偶発的または調整された一連の行動によって、環境要素に対する大きな信憑性がもたらされる。ひとたびウサギの人工知能を着想して発展させることができたら、われわれは数十の人工知能を付け加えて、その森に自律的な動作主をいくつも住まわせることができる。

►人物を加える

動物やロボット、あるいはとくに知能のある背景のような要素だけでなく、われわれはこのバーチャルな旅の中で、模造または実際の人間に会うこともできる。人間そっくりの人物は100万の小さな細部から成り、理想的にはそれを完璧に再現しなければならないため、表現するのが最も複雑な要素の一つである。だからプレイヤーの目から見た信憑性は守りながらも、多少の芸術的創造性を認めて、アニメ風の外見を選んだほうがよい。

シーンに人物を加えるとすぐにその人物は立つが、非常にこわ

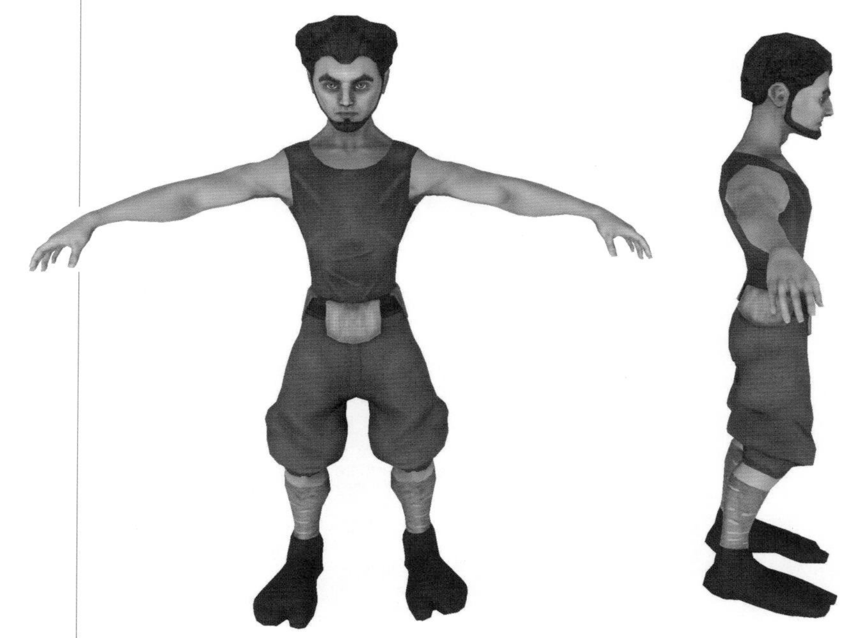

…▶ユニティ・アセット・ストアが無料で提供する、マクシム・ブグリモフによる架空の中世の人物

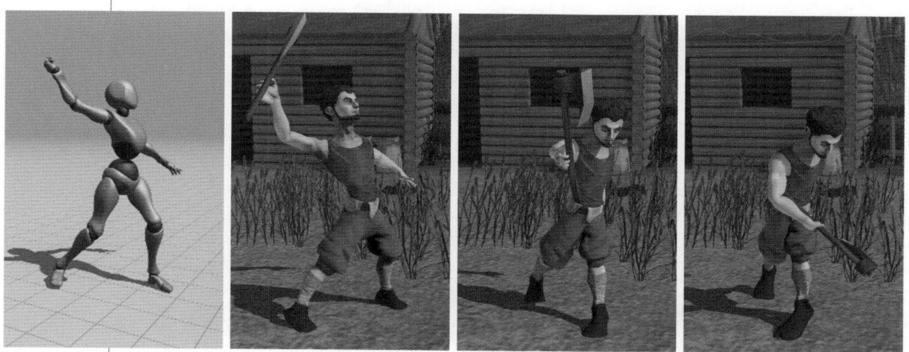

…▶アニメーションは数回のクリックでわれわれの登場人物に重ねることができる。とにかく斧を手に持たせることを忘れないように！

ばっている。腕は身体から離れ、アニメで見る例の型通りの「Tポーズ」だ。実際この人物は二つの要素から成っている。すなわち「皮膚」［服や髪などを含むことも多い］と、骨（ボーン）から成る骨格であり、われわれはこの骨を操り人形のように自由に操作することができる……。われわれは風車と同じように、それぞれの骨の方向を時間に応じて変えて、本物のアニメーションをつくることができる……。

しかしこれはうんざりするような作業なので、むしろあらかじめ決まっているアニメーションを使おう。それはインターネット上で簡単に見つけることができる。とくに、モーションキャプチャースタジオのコレクションをまるごと提供しているサイトがある。多くのアニメーションが射撃や戦闘のビデオゲーム用として用意されているが、歩く、走る、アクロバット、日常生活上の

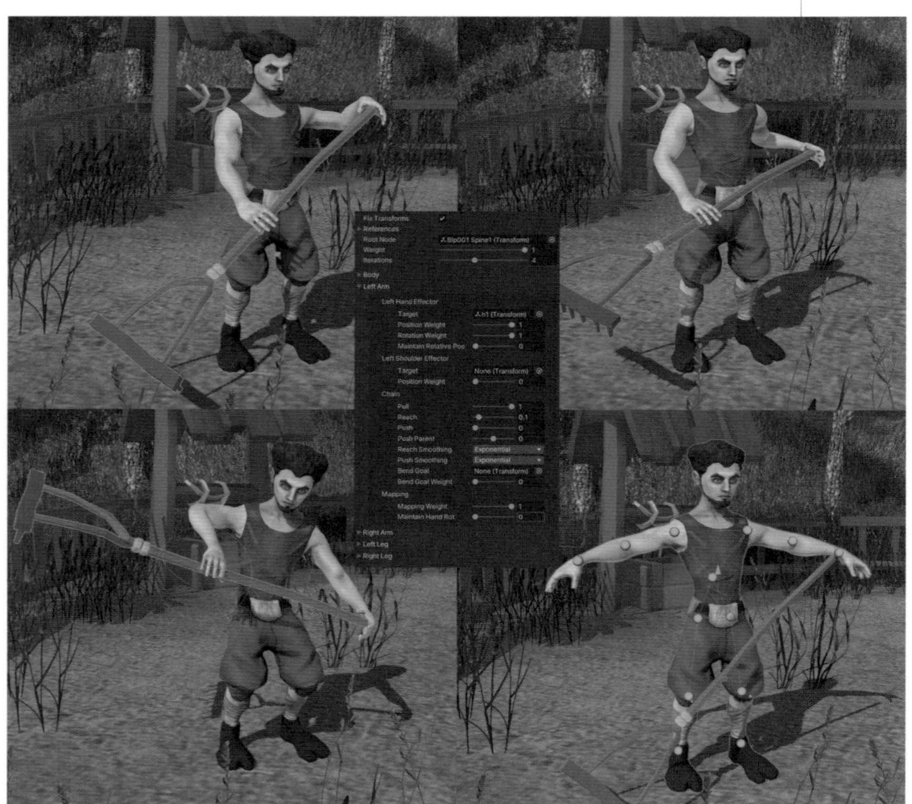

…▶インバース・キネマティクスによって、人物の手をオブジェクトの上に位置づけると、スクリプトが腕や上半身を自動的に動かしてくれる。

行為など、もっと一般的なものも存在する。われわれはテーマから外れないように、斧で打つアニメーションを利用しよう。

この場合アニメーションは、多少とも早く読み取れて、繰り返したり、ほかのものと組み合わせたりできる「ビデオ」のようなものとしてみなすべきであるが、それは必ずしもわれわれの背景やオブジェクトとは関係がない。われわれは足が地面に触れるように、斧が薪に届くように人物を配置することはできるが、こうした調整は容易とは限らない。そこで、はるかに正確な動作を得るために、インバース・キネマティクス(逆運動学)を少し試してみよう。

例えば人物に両手で熊手を使わせたい場合、われわれのオブジェクトの形にぴったり合うアニメーションを見つけることや、すべての骨を手作業で方向づけてリアルなアニメーションを自分でつくりあげることは、非常に難しい。そのためわれわれは、結局逆の作業をする。人物の手を熊手に「つないで」、熊手のほうを直接動かすのである。このインバース・キネマティクスの計算の役目は、肩や肘、手首の方向をコントロールして、手が正確に位置づけられるようにすることである。具体的には熊手を動かすだけで十分で、そうすると自動的に人物がそれを持つことになる。

さらに、人物は話せたほうがよい。今のところわれわれは人物の姿勢ばかりに関心を向けていて、顔は気にしていない。顔に表情をつけるために、実際には骨は使わない。なぜなら、全体を関連づけて信頼しうるアニメーションを成功させるには、数百の骨が必要であり、しかもそのうちのいくつかを組み直さなければならないからである。そこで、ここではむしろ、組み合わせが可能な3Dモーフィングシステムを使おう。その場合、顔を事前にさまざまなちょっとした方法で変形しておく[目を開く/閉じる、眉毛を上げる/下げる/弓型にする、口を開く/微笑む/閉じる/ぎゅっと結ぶ、等々]。こうした形状を、強弱のスライダーを動かして変えていく。これは少しミキシングテーブルに似ている。モーフィングの対象は追加していく。例えば、50%開いた口、100%の笑い、70%上がった眉毛というふうに動かして、笑顔を完成させることができる。

プレイヤーが登場人物に話しかけられるようにするには、代わりとして没入は少し無視して、簡単な会話のプログラムを実現しなければならない。声の認識や合成はまだ不十分なため、友人か俳優のいくつかの言葉を録音した音声ファイルを直接使ったほうがよい。原則は簡単だ。プレイヤーが登場人物に十分近づいたら、スクリプトによって登場人物を操作して、プレイヤーを目で追い歓迎の言葉をかけるようにする[表情や口の動き、音声ファイル、さらにおそらく歓迎の身振りのアニメーションとともに]。漫画の吹き出しのようなものが登場人物の横に現れ、プレイヤーは手を差し出し、セリフをクリックして応える、今度は登場人物が応じる、というふうに続く。

この会話から、登場人物の人工知能を豊かにすることができる。この人物は言われたことに応じた振る舞いができるだろう。火を点ける、プレイヤーについてくる、薪を探しに行く……。こうした数多くの活動をプログラミングして信じるに足る結果を得るには、多くの作業が必要になる[移動とアニメーションの連関、バーチャル環境内でのナビゲーション、人工知能のさまざまなパラメータ、環境への同化——登場人物はウサギを捕まえようとするだろうか?]

▶友人を招待する

もちろん同じ世界に複数の登場人物がいることを考えると、そのうちの何人かはほかの人間のプレイヤーが操作できるようにしたいと思うだろう。しかしバーチャル・リアリティにおいては、求められる機能は伝統的なビデオゲームとはかなり違っている。

例えばコントローラーで遊ぶゲームでは、人工知能やほかのプレイヤーによって操縦されるキャラクターを持つのは、むしろ簡

…▶バーチャル世界内で、プレイヤーキャラクターを単純化して表したもの。

単である。結局再現すべき行為はかなり単純だからである[歩く、飛ぶ、引く、オブジェクトに働きかける。……小さなアニメーションを合わせれば、こうしたケースはすべて表すことができる]。バーチャル・リアリティでは振る舞いははるかに複雑になるうえ、とくに頭や手の動きを追って正確に再現しなければならない。同様にオブジェクトの操作は現実の動作にはるかに似ていなければならず、プレイヤーの動きはそのとおりに再現されなければならない。

そこで、人工知能とプレイヤーの表示方法を区別していこう。前者はかなり伝統的で、つまり自動的な動きをする人物である。一方プレイヤーは、図か「飛ぶ」手で具現化され、その人の身振りと同じことを再現するとはいえ、腕も足も表示されない。身体全体の姿を見たければ先ほどのインバース・キネマティクスを利用することはできるが、身体の3部分の位置と方向程度の情報しかないため、危険な賭けになりかねない。

何人かのプレイヤーが同じバーチャル環境に集まるようにする場合、一つのコンピュータに複数の没入型ヘッドセットを接続することはできないだろう。だからプレイヤーが物理的に互いに数メートルしか離れていなくても、ネットゲームのときのようにそれぞれの独立した機器同士を接続して使う。

そのためには、例えばUnityのアセット「PUN」を使うことができる。これは複数プレイヤー用のスクリプトとモジュールのキットである。パラメータ化をするのはやや複雑だが、実際には各プレイヤーがシーン内で具現化される方法を決めることになる[自分の機器上で「パイロット」でも、ほかのプレイヤーの機器では「代理人」として表されたりする]。そして3Dシーン内の重要なオブジェクトに、異なる機器を通して同期用コンポーネントを追加する。例えば、各オブジェクトの全体的な位置・方向や一つひとつの特徴[薪の長さ、幅、木の種類等]を、自動的に共有するのである。

今や背景、オブジェクト、アニメーション、知能のある動作主、登場人物ができあがった。あとは未来のバーチャル世界をつくるために学び続け、オンラインのリソースから着想を得るだけである。

第7章

そして明日は、複合現実？

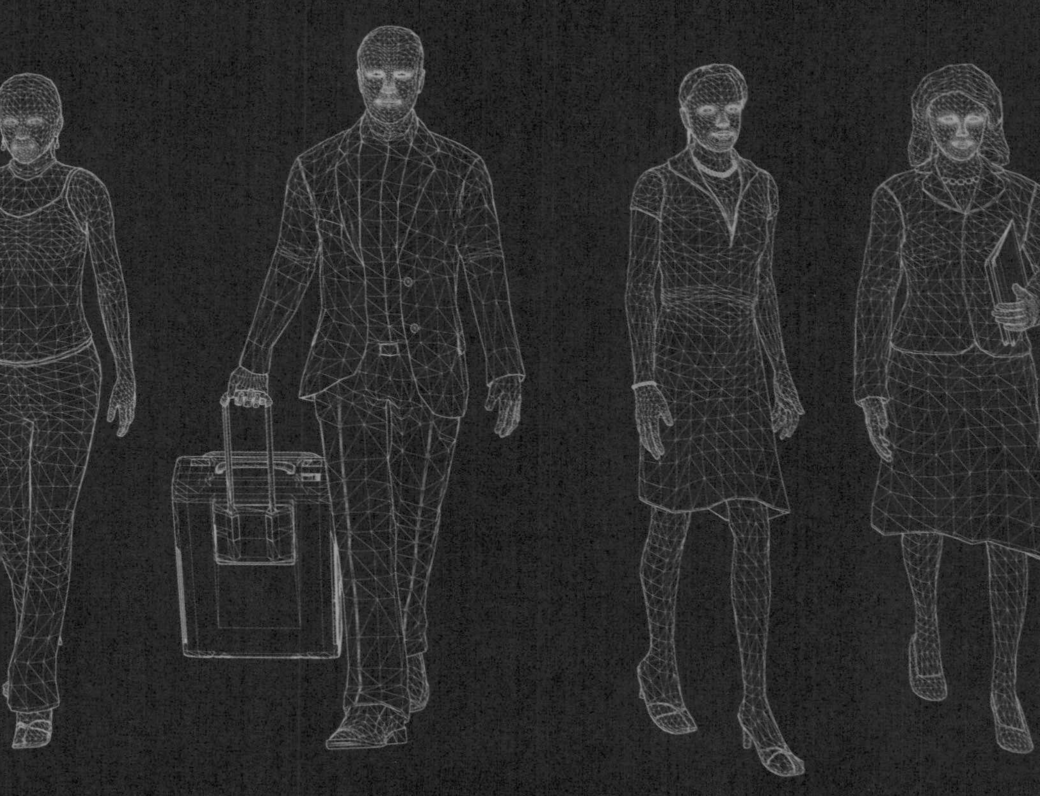

バーチャル・リアリティの誕生以来、研究と革新が続き、現在ではより利用しやすいシステム、より展開が速いコンテンツ、ますます多くを含む多用途のものができている。次のステップはどのようなものになるのだろう？　VRにはどのような危険や問題点があるのだろう？　どのような分野でVRは進歩するのだろう？

現実に向かって開かれるバーチャル・リアリティを見ていこう……。

現在の傾向

バーチャル・リアリティのパイオニアの時代は終わった。発見、研究開発、初めての大プロジェクト、初期のプラットフォーム、そして大衆化してあらゆる人の手に届くという、あらゆる新技術がたどらなければならない段階は、もはやわれわれの背後にある。現在、そして近い将来に描かれるのは現実とバーチャルの結合であり、それは複合現実という語でまとめられる。

►複合現実の飛躍

厳密な意味では、「バーチャル・リアリティ」は現実の世界とは遮断された完全なデジタル環境のことである。VR用ヘッドセットを装着することで、ユーザーは現実の環境から孤立する。CAVE™の中で動くこともまた、自分自身や場合によってはほかの参加者の身体を見ることができるという点を除けば、純粋にバーチャルな環境内での体験である。

しかしVRにはまた多くの異なるレベルのバーチャルが存在する。例えば1章で見た拡張現実[39ページ参照]は、現実世界にバーチャルなオブジェクトを同化させる。あるいは逆にオーグメンテッドバーチャル（拡張仮想）は、バーチャル環境に現実のコンテンツを付け加える。しかも現在では、すべてを包含する複合現実

ホイップクリームと複合現実

拡張現実で、本物のケーキの上にバーチャルなホイップクリームを塗ることを想像してみよう。このクリームは、物理的な環境にデジタル的な内容を重ねることで、ケーキを拡張する。しかしもっと進めてクリームの層とケーキの層を交互に重ねると、これらのバーチャルな要素は、もっと狭く、3D内に非常に正確に局地化した形で、現実世界に同化する。そうすると、単なる拡張から3Dの複雑な拡張現実に移る。こうしたさまざまなレベルの現実の拡張は、複合現実の一部を成している。複合現実には、ほかにも多くのレシピが含まれている！

［mixed reality］についても語られているのだから、100%のバーチャルと100%の現実の間に存在しうるあらゆる組み合わせを総括するのは難しいだろう。複合現実はさまざまな技術全体を使うものであり、おそらくVRの未来の姿である。そしてたしかに今後数十年のうちに発展していくだろう。

複合現実の切り札の一つは、「タンジブル（触知できる）」と言われるインターフェース、すなわちセンサーを付けた現実の物体［ハサミ、ねじ回し、はんだごて……］のおかげで、バーチャル環境を直感的に、自然に利用できることである。例えば、光の組成の原則を理解できるゲーム、ライトンガジェット（Light'n'Gadgets）★01の場合、インターフェースは扱いやすい木製の立方体で、マーカーが付いていてカメラによって検知される。この立方体の位置と方向に従って、カラー光線がアプリケーションソフトによって動き、専用のテーブル上に表示される。

タンジブルインターフェースのもう一つの例は、フランスのイメルジオン社のキュブティル（Cubtile）である。これは自由度が6以上あるマルチタッチのインターフェースで、データが複雑であっても3次元のコンテンツを簡単に操作し、3D環境の中をナビゲー

★01…このゲームは二〇一一年に日本のＩＶＲＣ「国際学生対抗バーチャル・リアリティコンテスト」で賞を獲得し、ラヴァル・バーチャル展示会では審査員特別賞を受賞した。*https://www.youtube.com/watch?v=Spe5salCtRc.*

…▶ライトンガジェットは2011年にポール・ジョルジュが創作したゲームで、白色光を分解し再構成する。

…▶イメルジオン社のキュブティルはタンジブルインターフェースで、3D オブジェクトを直感的に操作できる。

トできる。

複合現実では、現実とバーチャルとの混合はボリュメトリック(立体)ビデオを使うことによっても実行できる。これは現実のものを3Dでリアルタイムで撮影し、それをバーチャル環境内の正しい位置に挿入するというものである。例えば利用者を一種の「瞬間移動ボックス」に入れて、そのシルエットを3Dでリアルタイムでとらえ、それを拡張現実用メガネ[ホロレンズ(HoloLens)やリンクス(Lynx)]をしたほかの利用者のバーチャル環境の中で表示する。

ボリュメトリックビデオのおかげで、例えばミメジス社[★02]のアプリケーションでは、拡張現実用メガネを着けたユーザーは離れていても協働することができる。ユーザーは「幽霊」のような姿で表されて、拡張現実によってそれぞれの会社内で出会い、その中で動いたり、3Dのバーチャルオブジェクトに働きかけることもできる。

人間の全身を3Dに取り込む最も一般的な方法は、カメラまたは外部センサーを使うことである。それは、非常に細かく調整して利用者をさまざまな視点から3Dに再構成できるものでもよいし、もっと大雑把だが再構築のアルゴリズムや奥行のキャッチが利用できるもの[Kinect等]でもよい。続いて、利用者の後ろの背景を抜き取らなければならない。これは前もって利用者を青か緑の背景の前に配置すれば簡単である[★03]。そうでなくても、カメラ自体によって背景を塗りつぶすことはできる。カメラは奥行を捉えて、シル

…▶ヘッドセット、リンクスR1

★02…二〇一九年にアメリカのマジックリープ社に買収されたフランス・ベルギーのスタートアップ会社ミメジスはボリュメトリックビデオの方法を提案してきたが、この計画は現在は中断しているようだ。

★03…テレビや映画でよく使われるこの技術は、青か緑を背景にして人物を撮影することで、背景の塗りつぶしを容易にするものである。これらの色は人間の肌の色調から最も遠いからである。

エットをそれ以外からある程度正確に外すことができる。

結果はホログラムによるテレビ会議の表現にかなり似ている。ホログラムのテレビ会議では、複数のカメラが利用者の3D像をリアルタイムでとらえ、ほかの場所で再表示する。ホログラムの場合は宙に浮いているような像を直接見ることができるが、ボリュメトリックビデオでは、視覚化するには拡張現実用メガネが必要である。

複合現実はこのように実にさまざまな形を提供しうることがわかる。1994年に科学者ポール・ミルグラムはこれについて、脳に直接結び付いた純粋にバーチャルな環境(映画『マトリックス』のように)から現実世界に至るまでの連続体であると定義している。だから現在では、3D内の存在やオブジェクトとのインタラクションや、視覚化に関するさまざまな技術を分類することはもはや問題ではなく、反対にそれらを連続体という枠内で非常にクリエイ

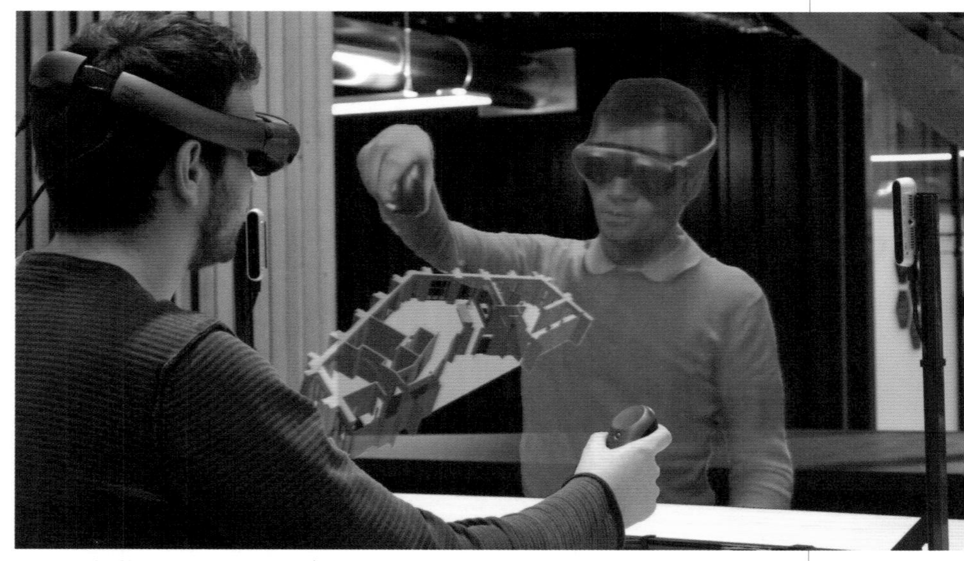

…▶ミメジス社のボリュメトリックビデオを使った、複合現実によるコプレゼンス。手前の利用者は拡張現実用メガネをかけており、リアルな姿で現れた相手とバーチャル環境内で話すことができる。

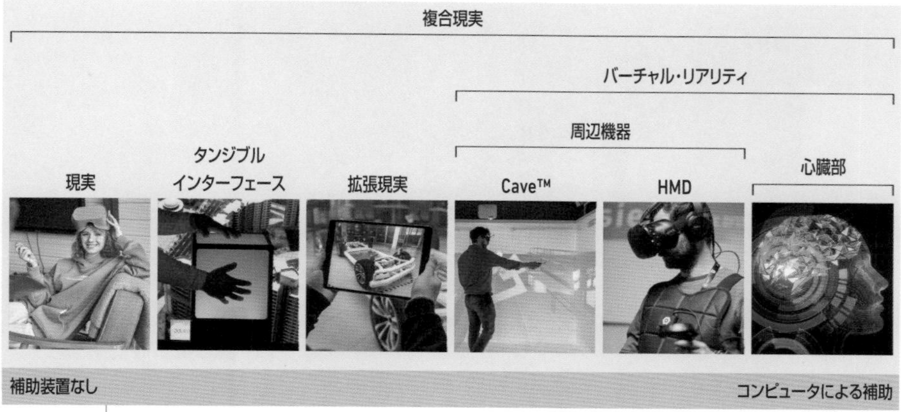

複合現実

バーチャル・リアリティ

周辺機器

現実　タンジブルインターフェース　拡張現実　Cave™　HMD　心臓部

補助装置なし　コンピュータによる補助

…▶ミルグラムの連続体

ティブな方法で開発する必要がある。

エクステンデッドリアリティ（XR）とも呼ばれる複合現実は急速に発展し、4章で見た感覚フィードバックをさらに組み込んで、おそらくますますリアリティのあるインタラクションを提供するだろう。このエクステンデッドリアリティは、おそらく空間コンピューティングの到来を予兆するものである。これは利用者がマウスもキーボードもスクリーンも持たずに、半分現実・半分バーチャルな労働環境の中でナビゲーションをすることを可能にする、コンピュータ分野の新たな革命である。

►360度VR

バーチャル・リアリティの現在のもう一つの傾向は、360度VR技術である。これは3Dカメラをバーチャル・リアリティのインターフェース、すなわち当然ながらヘッドセットに組み込むものである。自分の周囲の環境をすべて360度撮影して視覚化することができるため、ユーザーは深い没入感のある現実に入り込む。現実の像は複数のレンズをもつ特殊なカメラで、あらゆる方向で撮影される。カメラを二重にすると立体視が実現し、非常に満足

…▶2枚の超広角レンズを持つこの360度カメラは、周囲のすべてをとらえる。結果はVR用ヘッドセットで見ることができる。

のいく結果が得られることが多い。

立体視の有無にかかわらず、360度VRという語は、言葉の誤用によって、バーチャル・リアリティ(VR)の非常に重要な面、すなわちインタラクションが欠けていても使われる。例えばユーザーがドアを開けたり3Dオブジェクトを操作したりできないのは、映像を変えられないという意味で正確にはVRではない。しかし没入の強さと頭を回して視点を選べるという事実から、それらは非常に近しい技術になっている。

2015年、この技術は「VR」の映画、すなわち実際はVR用ヘッドセットで360度見ることができる映画を撮影したいと夢想する映画制作者たちを熱狂させた。当時多くの人が、360度動画が伝統的な映画にとってかわるだろうと思っていた。そのためメディアの供給者たちはVR用ヘッドセットに対応するコンテンツを発展させたが、ヘッドセットはもともとは合成像を表示することを想

…▶アトラクションパーク、イリュシティの一室。

没入型ナレーション

文化産業［映画、テレビ、展覧会……］でもう一つ発達したのは、没入感のあるナレーションである。これは、VRや拡張現実、ゲームでの利用が期待される、物語を語る新たな方法である。トランスメディアナレーションまたはクロスメディアナレーションとも呼ばれ、利用者に完全な没入感を与えるとともに、物語とインタラクションをする可能性を与える。映画はもはや映画館で「語られる」ものではなく、ドキュメンタリーはもはやテレビで放映されるものではない。すべてはそれぞれのVR用ヘッドセット内でなされるため、利用者が頭を回したり、コントローラーを操作したりすると、ナレーションが変わりうる。

定するものであったことから、最初の利用法からは外れてしまった。

360度映画の大量普及にはまだ遠いが、この技術から発達したアトラクションパークはいくつかある。例えばパリの科学産業博物館の近くにあるイリュシティ(Illucity)は、VRに関する1000m²のパークである。

►VRのソーシャルプラットフォーム

仕事のためであれ気晴らしのためであれ、VRはさまざまなアプリケーションを提供して、コミュニケーションをとったり、利用者間の理解を深めたり、ゲームをしたり、遊ぶために集まったりと、さまざまな状態に入り込ませる。とくに現在の傾向の一つは、実際とはかなり違う様相の人物[アバター]をつくって、バーチャル世界の中で出会いを見つけようというものである。

例えばAltspaceVR、Facebook Spaces、vTime、Sansar(サンサール)、Rec Roomなどはすでに存在していたが、VRChatというアプリケーションは短期間で非常に人気のあるバーチャル・リアリティのソーシャルプラットフォームになった。30人ほどの人が管理するこのバーチャル環境は、共同設立者グラハム・ゲイラーが説明するように、大衆文化から発したものである。VRChatと

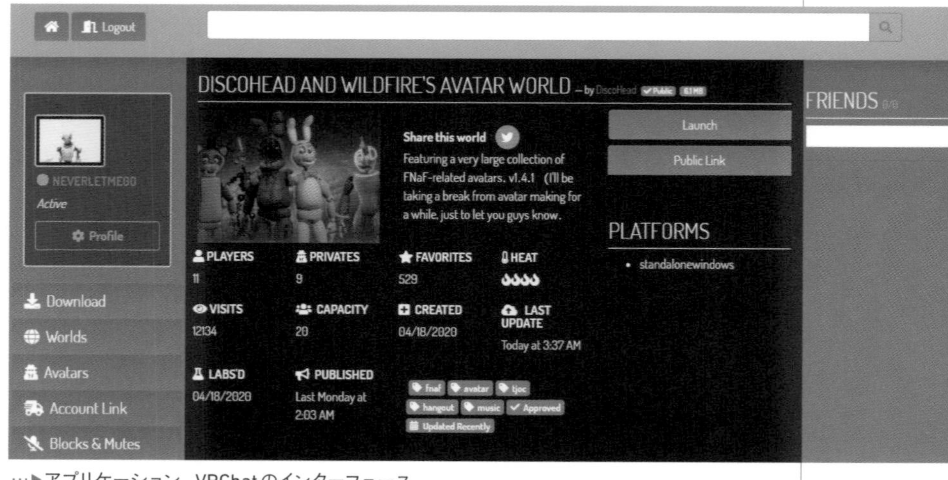

…►アプリケーション、VRChatのインターフェース

…▶ジャン＝ミシェル・ジャールによるバーチャル・リアリティのコンサート「アローン・トゥギャザー」。彼のアバターと数人の観客のアバターがいる。2020年6月21日。

Second Life［2000年代のプラットフォームで、各人が自分のアバターをつくってほかの利用者と会うことができる］との親子関係は明白だが、以後技術は進歩し、個人的なキャプチャーシステムによってアバターを動かすことが可能になった。つまり、アバターの体は利用者の動きに従う。

8000～1万2000人の利用者が、こうして常時VRチャット上でつながっている。ヘッドセットの装着者と非装着者を含めて、ピーク時には利用者の数は2万人にのぼった。このVRソーシャルネットワークは没入とインタラクションに向けたさらなる一歩であり、メンバーに強い臨場感［仮想世界に存在している感覚］を与える。これは、スティーヴン・スピルバーグ監督が2018年に発表した映画『レディ・プレイヤー1』を思い出させずにはいられない。この映画では、人類は現実世界をなおざりにして、ヘッドセットとインタラクションのインターフェースを装備してバーチャルなオアシスに逃れるのである。

VRによるソーシャル活動のもう一つの例は、2020年6月21日の音楽の日に、新型コロナのために例外的に遠隔で行われたコンサートである。その日、ミュージシャンのジャン＝ミシェル・ジャールは、VRChatがホスティングするフランスの会社VRr00mのバーチャル世界におけるライブの舞台に登場した。彼の音楽とテクニックのパフォーマンスのタイトルは、有名なジャズのスタンダード『アローン・トゥギャザー』から取ったものであった。彼はアバターを介して、まばゆい環境の中でリアルタイムで電子音楽を演奏したが、その環境はVRルームとアエロ・プロダクションが共同で迅速に開発したものであった。40分のショーの間、VRチャット上では1万800人の参加者を数えたが、これに立ち会った観客は世界中で合計60万人（と、放送後の24時間で120万人）に上った。中にはヘッドセット装着者も含まれていた。

このようにバーチャル・リアリティは芸術・文化の伝達手段として、非常に多くの観客を感動させうることが分かる。

►拡張人間

VRのおかげでバーチャル世界内でさまざまな豊かな人生を経験することができるが、VRにはその能力に加えてもう一つの可能性がある。すなわち、拡張人間である。このもう一つの傾向のほうは現実生活に関係するもので、人間をさまざまなテクノロジーによってより高性能にするというものである。例えば拡張情報［注釈、像、オブジェクト……］を自分の視野に映し出すことができる網膜移植のおかげで視力がよくなるかもしれないし、いずれにせよより多くの情報を得られるだろう。まだ発展途上のこの技術は、われわれがすでに取り外し可能な形で［メガネ、入れ歯、補聴器］、または永続的な形で［ペースメーカー、腰や膝の人工骨］身につけている、知覚や医療における補装具や補綴の原則をとらえ直すものにすぎない。

例えばフランスのピクシウムビジョン社は、あるタイプの黄斑

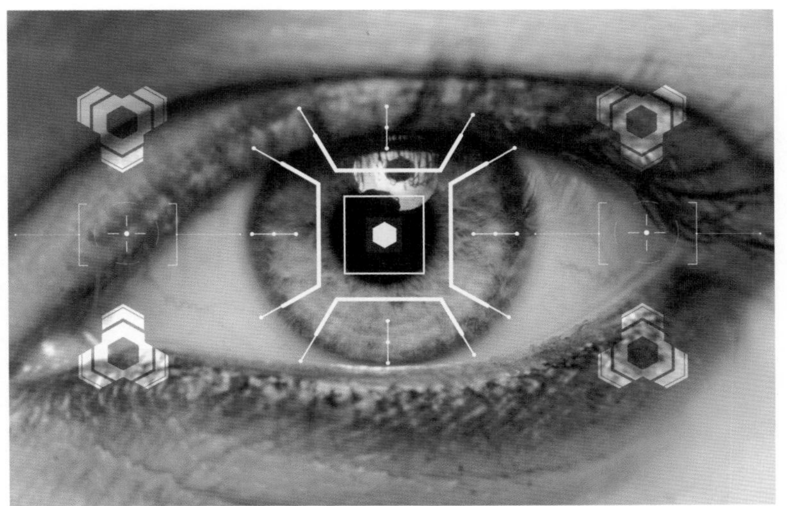

…▶人間の網膜への組織片移植

知覚補完とは何か?

アメリカの神経科学者ポール・バッハ゠イ゠リタ[1934-2006]の実験は、目の見えない人や弱視の人の背中や腹の上に触覚的刺激を起こして、感覚の代替または視覚の補完として情報を与えようというものであった。もちろん利用者は、視覚を持つのと同じ感覚や感情を持つことはできない。そこで、「知覚－行為」[88ページ参照]という考えに基づく、また違う体験について語られる。これは、行動しなければ知覚しないという考え方であり、その例は、ざらざらした表面を触ったときの触覚である。ざらざらを感じるためには指を動かさなければならない。もし指が動かなければ、そのざらざらを理解することはできないのである。

変性を治療するために、欠陥のある目の光受容細胞の一部に代わる移植組織片を網膜に組み込むことを提案している。カメラ付きの拡張現実のメガネをかけることで、患者はこのカメラを介して視覚情報を受け取ることができる。カメラが赤外線によって移植

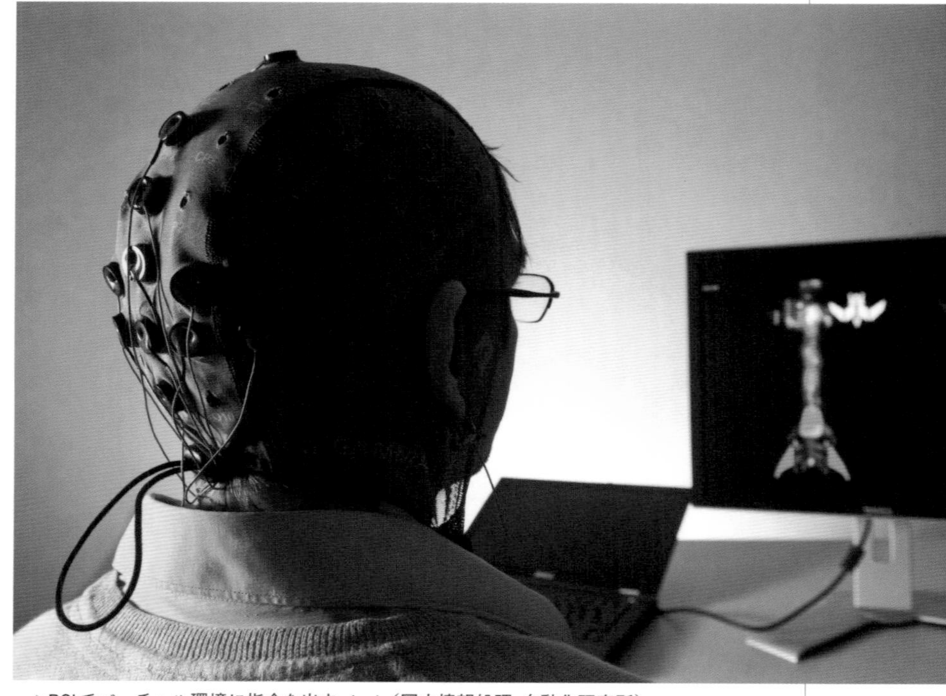

…▶BCIでバーチャル環境に指令を出す。Inria（国立情報処理・自動化研究所）。

組織に像を送ると、移植組織がそれを網膜の神経細胞に伝えるのである。

研究所では、認識力に関わる人工装置が数多く考案され、試されている。その中には、弱視の人に3Dのバーチャル空間を探索させる触覚システムもある。知覚補完の分野では、目の見えない人にコンピュータの画面を知覚させ、形［アイコン、ウインドウ、柱］を認識させるタクトス・システムについて、シャルル・ルネイ[★04]が記している。マウスが画面上に形を見つけると点字のような点が隆起して、触覚フィードバックがなされるのである。ハンディのある人のために準備されたシステムが結局は全員の役に立つということがテクノロジーの歴史にはたびたびみられる[★05]が、このように目の見えない人や弱視の人が触覚フィードバックによって3Dの

★04…Charles Lenay *et al.*,《Suppléance perceptive et perception humaine》, *Informatique et sciences cognitives*, éditions de la Maison des sciences de l'homme, 2011. *http://books.openedition.org/editionsmsh/13935*

形を知覚することは、バーチャル・リアリティが有する可能性の一つである。

人間の能力拡張の分野でもう一つ興味深いのは、脳とコンピュータのインターフェース［BCI：ブレイン・コンピュータ・インターフェース］のアプリケーションである。これは人間の脳と電子機器、例えばコンピュータを直接つなぐものである。このタイプのインターフェースは、脳波の検知システムのおかげで、バーチャル環境内をナビゲートすることを可能にする[★06]。脳波の形を指令として解釈することで、手も身体も使うことなく、マウスやVR用インターフェースでするように、バーチャル環境内を移動することができるのである。

►バーチャル・リアリティと人工知能

人工知能はここ数年巨人の足取りで進歩し、非常に未来的なアプリーションを数多く提供してきたが、その中にはバーチャル・リアリティを利用しているものもある。とくに、人工人間ネオン(Neon)を挙げよう。これはサムスンのSTARラボが開発し、技術革新のための最大の見本市であるラスベガスのCES［コンシューマー・エレクトロニクス・ショー］で2020年に紹介した、超リアルなアバターである。このネオンは人工的な動作主も含むより幅広いコンセプトの一部であり、人間とも、あるいは日本のジェミノイドのようなロボットとも、インタラクションが可能である。

VRでは、以前から人間の姿をしたキャラクターが存在していた。とくにビデオゲームでは、NPC(ノンプレイヤーキャラクター)と呼ば

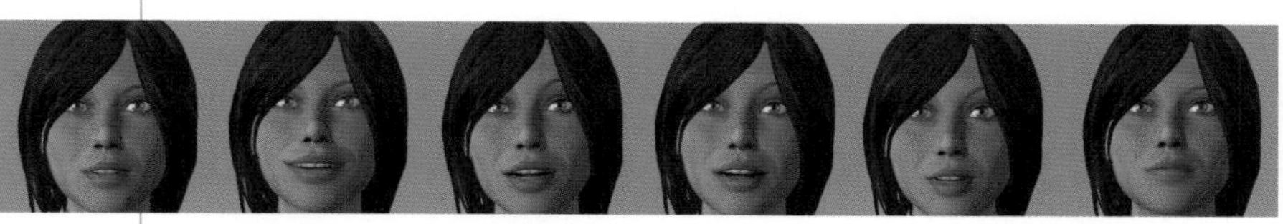

…▶動的対話エージェントの一連の表情。

★05…電話の発明者としてよく名前が出るアレクサンダー・グラハム・ベルが聴覚に興味を持ったのは、母と妻が耳が不自由だったからである。彼が聴覚機器の製造に至ったのはそのためであった。

★06…Inriaのアナトール・レキュイエが率いるハイブリッドチームの業績。

れる自立したバーチャルな存在がしばしば登場する。これは普通、ゲームで再現された環境全体と同様に操作される操り人形にすぎず、一般にゲームの状況や物語に応じたいくつかの振る舞いを繰り返すようにあらかじめ設定されている。このキャラクターはプレイヤーに直接コントロールされるのではなく、その行動はゲーム展開時のロジックに従う。

しかしゲームにおける人工知能エンジンの発展とともに、こうしたバーチャルなキャラクターはますます複雑な振る舞いができるようになっている。中には人間とインタラクションができる人工的な動作主さえいる。「動的対話エージェント」と呼ばれるこのバーチャルな存在は、リアルな振る舞いが可能である。身振り、ポーズ、顔の表情、状況の把握、自然言語[★07]での会話、感情の表現、ときには人間の感情の［おおよその］認識。その自立性によって、彼らはビデオゲームではプレイヤーをそれとして認識してインタラクションをしたり、バーチャル環境の中の独立した存在として進化することができる。

目下のところ、複雑な体全体がバーチャル環境の中にある障害を考慮しつつ本物そっくりな動きをするのを、バーチャル・リアリティでリアルタイムで描くことはまだ難しい。とはいえ最近の進歩により、ヘッドセットや没入ルームのようなインターフェースを使って、バーチャルな人間をもっと本物らしく、縮尺1：1の等身大に見えるようにすることができる。そうなると臨場感は非常に強い。バーチャルな人間に触れられた感覚についてまで、研究は進んでいる！

人工知能とVRの両方に関わるまた別のアプリケーションとして、未来の自律的な車がある[★08]。この車は、現実の環境で使用する前に、バーチャルのシミュレーターで生成されるさまざまな状況を「学ぶ」[★09]ことができ、あらゆる種類の困難を経験し、不測の事態にもよりうまく反応できるようになる。同様に自律型または半自

★07…自然言語、あるいは日常言語は、実際に人間が話す「ノーマルな」言語である。これに対してコンピュータ用語などは形式言語である。

★08…現在では、知能を持つ車はすでに拡張現実の表示システムを備えている［フロントガラス上］。

★09…人工知能において「学ぶ」ということは、機械が学ぶ能力を持つことである。これはマシンラーニング（機械学習）と呼ばれるものである。

…▶フロントガラス上が拡張現実になった自律型の車。

律型のドローンも、ロボットと同様で、敵対的または危険なバーチャル環境の中で学び、性能を上げることができる。

　このように、人工知能とバーチャル・リアリティは、シミュレーションやインタラクションの面でしばしば同時に発展してきた。多くのアプリケーションで、この二つの技術は補完的なものとみなされることもある。とはいえそれらは起こしうる有害な影響に関して、ときに不安を与え、多くの疑問を生じさせる。とくにVRは、もっと安心で説得力のあるものであるべきである。

発展にブレーキをかけるもの

新たなVR用ヘッドセットと360度立体カメラの登場のおかげで、現在では小さな会社や個人でも、少ない費用で動画を撮ったりVRアプリケーションを実行したりすることが可能である。VRは一般化し、多くの場合求められるのは正しい利用だけというツールになった。現在の問題は、人類や社会の健康や安全、責任のために限度や制約を考え、利用の枠組みを定めることである。

►VRの健康に対する影響

VRに関して最も頻繁に出会う健康問題は、VR酔いである。バーチャル環境で感じる感覚が現実の感覚とあまりに違うと、バーチャルとリアルのつじつまが合わないために認知の矛盾が起こり、体験中の利用者の満足度に影響することがある［吐き気、頭痛等］。

一部の利用者はほかの人よりもこの認知の矛盾の影響を強く受ける。車や船に乗っているときに気分が悪くなる人は、これも感じやすい。アトラクションパークや縁日のメリーゴーランドに耐えられない人も同様。この影響は即座に出ることもあり、その場合、バーチャル環境での体験は不快で、好ましくないものとなる。この不調を避けるために、多くの研究開発が解決策を提案している。カメラワークをより適合させて映像を変える、感覚フィードバックを調整する……。要するに、利用者が現実世界で感じるものにより近づけることであるが、この作業は人間の知覚と技術を調和させなければいけないため、非常に繊細である。

VR酔いはバーチャル環境を離れた後に影響をもたらすこともある。平衡感覚の不調、めまい、さらには気分の悪さ。そのため、シミュレーターや没入型の訓練ツールを数時間使ったら、休止時間が必要である。現実に戻るまでのプロセスには、比較的長い時間がかかるからである。とくにVR酔いの場合には、VRの体験後数時間は車の運転をしないよう勧められている。

バーチャル・リアリティのアプリケーションが非常に説得力のあるものであったら、利用者は自分がバーチャル世界にいることを忘れることもある。典型的な例として挙げられるのはバーチャ

…▶現実感の非常に強いバーチャル環境の中で平衡感覚を失うと、ユーザーは現実における手がかりを失い、バーチャルな壁や家具につかまろうとして倒れることがある。

…▶バーチャル環境の実験で、堅固な構造物によってユーザーを転倒から守る。

ルなテーブルで、その上にもたれようとすると、結局は現実の床に転んで怪我をすることになる。こうした転倒を避けるために金属製の支え構造を準備することもあるが、それには各VRアプリケーションにきちんと合った計画が必要である。

さらに精神的な面では、バーチャル環境での体験はビデオゲームにおいてと同様、非常に強烈な印象を残しうる。例えば飛行シミュレーターで衝突すると、パイロット役の生徒にとって生涯のトラウマになりかねない。だからシミュレーターによる訓練の枠内であっても、重大な事故を引き起こすことは許されていない。ほかの領域でも、参加者やバーチャルな人物を巻き込む対立的・暴力的な状況のシミュレーションは、重大な精神的混乱をもたらしかねない。だからVRでのソーシャル体験は枠内に収めるべきであり、そのためには固有の規制が求められる。

►規制に向けて

バーチャル・リアリティの利用に法的な枠組みを与えるために、多くの率先的な行動がなされている。医学研究の面では、とくに「人間が関係する研究」を扱うジャルデ法がバーチャル・リアリティの利用に影響を及ぼすであろうし、他方で利用者を保護するための倫理的な勧告もある。ビデオゲームでは、ヨーロッパ38か国を対象とするPEGI［汎欧州ゲーム情報］[★10]の分類があり、［難易度ではなく］年齢によって利用を分類する[★11]ことによって、販売に規制をかけ逸脱を避けようとしているが、VRでも同様の分類が完成し、できる限り早く適用されることが重要である。

VRの専門家や利用者の間で何度も議論や話し合いが重ねられたのに続いて、検討会がまず組織され、次いで複数の研究分野にまたがる倫理委員会がフランスで生まれた。このVR倫理委員会には、精神科医、神経心理学者、バーチャル・リアリティや拡張

►バーチャル・リアリティの利用に関する勧告の憲章の抜粋

「没入の技術は、企業経営者が、訓練、予防、研修、技術作業補助のプロセスに関して長期的に検討するほど、今や質的にも実用的にも十分完成の域に達した。そうなるとこの技術は、労働環境の制約に直面することになるだろう。しかしその影響はまだ完全には知られてはいない。フランス食品環境労働衛生安全庁［ANSES］はその健康への影響を研究するためにデータを検討し、2020年に結果を出すとしている。しかし現在すでにVR倫理委員会の設置によって、検討作業は始まっている。この委員会の使命の一つは、没入コンテンツの出資者、利用者、制作者に対して、専門家がよく知る危険を避けるための勧告を発表することにある」。この憲章はVR Connectionのサイトでダウンロード可能である[★12]。

★10…https://pegi.info/fr
★11…例えばPEGIの担当者は、ゲームのコンテンツには暴力や武器が含まれていると指摘する。
★12…https://vr-connection.com/

現実の研究者、没入の専門家、没入コンテンツの制作者や大企業が参加し、とくにバーチャル・リアリティの利用に関する初の憲章が定められた。

将来の規制のベースになるであろうこの憲章の中では23の勧告がなされており、感覚の不調和、非現実的機能のインターフェース、不適切な内容、心理状態と認識の不適応、準備の悪い実践方法などの影響を網羅している。

VR制作者の倫理的責任は、例えば与えられたアバターに入り込むことをユーザーに提案したときに生じる。実際、アバターの外見がバーチャル環境におけるユーザーの振る舞いに影響を及ぼしうることは、明らかにされている。これは「プロテウス効果」と呼ばれ、例えばVRゲームの場合、アバターの大きさや魅力がプレイヤーの成績まで変えてしまう。しかも、このユーザーの社会的態度の変化が、ときにはVR体験後しばらくしてから現実世界で反映されることさえある。結果として、それはVRの制作者が

…▶決定を下すため、バーチャルな人間に化身する［マンザラブ社のアプリケーション］

ある種のタイプのアバターを提供することによって、ユーザーを操作しうることを意味する。だからアバターへの化身は、どんなものであれ慎重さが強く求められる。

フランスのマンザラブ社は、フランス装備総局が遠距離の共同事業でも決定が下せるようにするために、バーチャルな人物への化身を利用した。こうした化身によって、バーチャル環境の中で、物理的存在[物理的空間内にいると認識する]、自己存在[自分のバーチャルな身体を感じる]、社会的存在[バーチャル環境内で他者を感じる]を知覚することができる。

►GAFAMの覇権

2015年にアップルが拡張現実を牽引するメタイオ社を買収すると、業界全体があっという間にこの重要な技術を奪われた状態になった。現在、メタイオ社の技術を土台とする拡張現実のフレームワーク、ARキット(ARKit)を、アップルはiPhoneやiPadの所有者だけに利用させている。VRのその他の革新的な会社も定期的にGAFAM[★13]に買収されており、この先端技術に関係するあらゆる開発者と利用者を緊張させている。

バーチャル・リアリティにおける並外れた革新力は、このようにときとして個別契約による閉鎖的で採算のとれるプラットフォームのほうへ向かいかねない。同様に研究開発から生まれたいくつかのツールが、GAFAMの商業上の必要に応じて改変されることもある。

とはいえGAFAMがこの分野の発展に大きく寄与したことは忘れてはならない。バーチャル・リアリティは、未来の工場[161ページ参照]、文化産業、健康、訓練のアプリケーションのいずれに関しても、実際これらの巨人の成長や経済全般の成長の原動力の一つである。だからスマートフォン後の時代には、おそらくほかのテクノロジーと結びついたVRが組み込まれていくだろう。

★13…ウェブの巨人、すなわちグーグル、アップル、フェイスブック、アマゾン、マイクロソフト。

結論として

VRの登場以来、科学者、技師、技術者、アーティスト、企業は創造性を発揮し、強い情熱を見せてきた。彼らの交流は、ここにたどり着いたことを喜びアイデアや計画を出すことを楽しむコミュニティへと、自然にまとまっていった。

►フランスとヨーロッパのVRとXRのコミュニティ

科学や産業のコミュニティに素材やソフトウェアの提供者が結び付いて、数年前にいくつかの協会としてまとまった。例えばAFRV［フランスバーチャル・リアリティ・拡張・複合現実・3Dインタラクション協

►ラヴァル・バーチャル展示会

フランスのラヴァルで行われるバーチャル・リアリティのためのこの展示会は、毎年1万8000人以上の来場者、300人の出品者、150人の講師を迎えている。これはフランスだけでなく、世界的にも大きなVRの出会いの場である。2020年4月には新型コロナのために、この展示会はバーチャルな町に変容した。参加者はアバターのおかげで非公式な交流を容易にすることができ、6000人がこの専門的な3日間で行き交った。

…▶ラヴァル・バーチャル展示会の展示ホール

会]、あるいはCNRS(フランス国立科学研究センター)内のコンピュータグラフィックスとバーチャル・リアリティの研究グループがある。IEEE(米国電気電子学会)ISMAR(複合・拡張現実国際シンポジウム)、IEEE VRST(バーチャル・リアリティ・ソフトウェア・テクノロジー)、IEEE VR(バーチャル・リアリティ)など多くの国際会議で複合現実の研究者が集まり、世界中の研究所の最新の科学的進歩が発表されている。ヨーロッパでは、ユーロVR協会がとくにコミュニティを活気づけている。

こうしたさまざまな立役者たちの実り多い交流によって研究の成果が伝えられ、大きな革新へと至っただけでなく、とくに産業における研究開発分野の知識も進んだ。現在、フランスで生まれた新たな協会AFXR[★14]は、没入技術に関わる経済関係者をより幅広く集めている。

アーティストもまた芸術祭やVRのフェスティバルを通して、バーチャル・リアリティの風景の中に頻繁に登場している。フランスではレクト・ヴェルソ(Recto VRso)[★15]、ドイツではVRHAM！がある。

►現実を再び魅了する

本書では、バーチャル・リアリティがバラエティに富んだますます多くのアプリケーションのおかげで一般化しつつあることを示した。インターフェースはより性能が上がり、金額的にもはるかに入手しやすくなった。今や強力なツールとともに、コンテンツも生み出されている。VRへの熱中はしかも実に明らかで、数字が雄弁に物語っている。この分野では2020年の総売上高は約180億ドルと見積もられ[★16]、今後数年でさらに大きく成長するとみられる。

バーチャル・リアリティの負の影響に対する不安は根拠がないものではなく、われわれの頭の中には常に存在しているが、おそらく時間と共に、あらゆるアプリケーションの分野で利用規則が

★14…http://afxr.org/page/954386-accueil
★15…http://rectovrso.laval-virtual.com
★16…http://www.statista.com/statistics/591181/global-augmented-virtual-reality-market-size

制定されていくだろう。そうした規制によって逸脱とのバランスが必ずやとられ、人間を守るための限界が示されることだろう。

もしVRの正体をうまく暴けたら、情報を獲得し、学び、交流し、創作し、楽しむための新たな可能性をVRがもたらしてくれることが期待できるだろう。哲学者ベルナール・スティグレールは「世界を再び魅了する[★17]」と言ったが、バーチャル・リアリティは現実を再び魅するのではないだろうか？

★17…Bernard Stiegler, Réenchanter le monde. La valeur esprit contre le populisme industriel, éditions Flammarion, 2008.

用語集

1人称視点(Vue à la première personne)
自分がコントロールするキャラクターにユーザーが直接なりきるような3D環境の視点。一般にバーチャルカメラはユーザーの頭の位置に置かれ、その動きをできるだけ正確に再現する。

3Dエンジン(Moteur 3D)
3D環境のレンダリングと計算を専門とするソフトウェアだが、意味を広げてバーチャル環境についても言う。3Dエンジンはとくに、カメラ、アニメーション、素材のパラメータ化、振る舞いのスクリプト、環境構想のツールを提供する。

3人称視点(Vue à la troisième personne)
ユーザーとユーザーがコントロールするキャラクターとが一致しない3D環境の視点。つまり、ユーザーはある距離をおいてそのキャラクターの体全体を見る。この場合、バーチャルカメラはユーザーの頭の位置ではなく、シーンのほかの場所に置かれる。

Cave™
ユーザーが投影面に映る立体映像に囲まれる、立方体または直方体の部屋。ユーザーはそこで歩いて物理的に移動したり、オブジェクトを選んだり、VR用ヘッドセットを装着したときと同じようにインタラクションを行うことができる。ただ、Cave™では自分自身の身体をバーチャル環境の中で見られるという違いはある。

LOD(Level of detail:詳細度)
同じ3Dオブジェクトでも、距離や画像内での重要性に応じてさまざまに表示できる技術。とくに、最も遠いオブジェクトを非常に単純化したバージョンに置き換えて、良好なパフォーマンスを保つことができる。

Unity 3D
3DやVRのエンジンとして最も人気のあるものの一つ。実験的な開発や独立したビデオゲームに最適。

Unreal Engine
最も評判の高い3Dエンジン。どちらかというと高額予算のビデオゲームや、重要な開発チーム向き。大部分のVR用ヘッドセットとの互換性もある。

VR360(360度VR)
VR用ヘッドセットで360度のビデオや映画を視覚化すること。バーチャル・リアリティについても言われるが、これはバーチャル・リアリティに関係するものではなく、VR用ヘッドセットの利用に関係するものである。

VR酔い(Cybersickness)
現実とバーチャルが一致しないバーチャル・リアリティのアプリケーションを利用したことで引き起こされる、不快な気持ち。サイバー病とも呼ばれるこのトラブルは、乗り物酔いに近い。

VR用ヘッドセット(Casque)
バーチャル環境に浸ることのできる知覚機器。多くの場合ユーザーの前に直接配置されるレンズと小さな画面を使い、トラッキングシステムその他の技術[視線の追跡、搭載された計算処理機能、音の再現等]で補う。

Wiiリモコン(Wiimote)
任天堂の家庭用テレビゲームWiiのリモコン。年月が経つにつれて、赤外線カメラ、モーションキャプチャー、バイブレーター等として使われるようになった。

XR(extended reality:エクステンデッド・リアリティ)
仮想現実(VR)、拡張現実(AR)、複合現実(MR)などの総称。それぞれの画像処理技術やコンテンツの組み合わせにより、その境界があいまいになってきてもいるため、「さまざまな現実体験と」いう意味で新しい技術を表現している。
→拡張現実、複合現実

アバター(Avatar)
バーチャル環境において、現実空間のある点を視覚フィードバックする形[コンピュータのマウスの位置を示す白い矢のように]。意味を広げて、ビデオゲームやバーチャル環境でユーザーを表すもの。シミュレーションした世界のルールに従って、ユーザーの身体を3D空間内で具現化する。

アフォーダンス(Affordance)
その外観のおかげでそのものの機能が利用者に自然に理解できる特性。例えば椅子は人が座れることを想起させる。アフォーダンスは利用者の知識、文化、経験と関係する。

インタラクション(Interaction)
バーチャルなオブジェクトを操作したりバーチャル環境内をナビゲーションしたりするために、ユーザーが行う行動。インタラクションを繰り返すと、その行動に関係する感覚フィードバックが瞬間ごとに計算される。例えばユーザーが3D用ジョイスティックを利用しつつバーチャル環境内を移動すると、たどる道が表示される。

インタラクティブタイム(Temps interactif)
インタラクティブなアプリケーションで許容できる応答時間。インタラクティブタイムは、インタラクションのスムーズな流れを保証しながら、計算量を減らすことができる。

エスケープルーム(Escape room)
一般に小グループで遊ぶゲームの一種。目的は、謎を解決して数十メートル四方の部屋から「脱出」すること。バーチャル・リアリティと非常にうまくマッチする。

外骨格(Exosquelette)
人の手、腕、さらには身体全体を囲ってその動きを守る補装具または外的構造全体。バーチャル・リアリティにおいてこの種の装置は、ユーザーの動きをブロックすることによって、オブジェクトの質量や接触時の抵抗があるように見せることができる。

拡張(Augmentation)
バーチャルモデル、または現実自体[拡張現実]を補足するために付加された、ほとんどの場合視覚的な要素。拡張によって利用者に役立つ情報を伝えることができる。例えばテクストを表示したり重要なものをハイライト表示する。

拡張現実(Réalité augmentée)
現実の場面にバーチャルな要素を重ね合わせること。その要素は2Dであることも多いが、コロカリゼーションやジオロカリゼーション(地理的位置測定)によって3Dにもなりうる。

感覚フィードバック(Retour sensoriel)
感覚[視覚、聴覚、触覚……]をバーチャル環境で人工的に再現すること。

キネクト(Kinect)
マイクロソフトの家庭用ゲーム機Xボックス360(Xbox360)とワン(One)の周辺機器で、第2期にはPCでも利用可能になった。とくに像や3Dの奥行情報をキャッチしたり、さらには実際の人間の姿勢を検知したりすることができる。2017年に発売中止。

グラフィックカード(Carte graphique)
とくに像をリアルタイムで生成するために使われる、画像処理計算のための構成要素の総体。

化身(Incarnation)
エンボディメントとも言う。バーチャルな体に入るというユーザーの認識的・感覚的体験。

剛体(Rigidbody)
いくつかの特性[形、質量、重心……]のおかげで物理的シミュレーションに組み込める3Dオブジェクト。

コロカリゼーション(Colocalisation)
バーチャルなオブジェクトの位置をそれに相当する現実の位置と一致させ、二つの現実(リアリティ)の間に触知しうる関係をつくる技術。例えばVR用ヘッドセットをしたユーザーがバーチャルなレバーを作動させて、まさに同じ場所に本物があれば、コロカリゼーションである。

詐欺師(Imposteur)
→ビルボード参照

シェーディング(Shading)
サーフェスに当たる光の効果を再現し、光の当たる部分と影になる部分[shaded area]を決定する3Dディスプレイ技術。意味を広げて、リアルであるなしにかかわらず、3Dオブジェクトの表示方法全般。

自己受容感覚(Proprioception)
キネステジーとも呼ばれる。人間に、空間における自分の身体の部分の位置を認識させる感覚。不安定な体勢でも平衡を保つために、自己受容感覚は非常に重要である。

触覚に関する(ハプティクス)
接触フィードバックに関係するものであれ、自己受容感覚的なものであれ、皮膚感覚に関するもの。

動作主(Agent)
振る舞いをあてがうことのできる人工的な存在。例えばあるシーンで敵と戦うバーチャルなキャラクター。

トラッキング(Tracking)
ユーザーの手や、視点として使われる頭など移動する現実のものを、バーチャル環境内に転記するために空間内で追う技術。

ナビゲーション(Navigation)
バーチャル世界内で、ユーザーが移動したり方向を変えたりすること。3D空間内での探索を容易にするには、インタラクションや環境情報が重要である。

バーチャルカメラ(Caméra virtuelle)
3Dシーンのデジタル表示を創作・管理できるソフトウェアツール。そのパラメータ[シーンにおける位置、方向等]は、像のレンダリング計算に直接影響する。しかしバーチャルカメラのコンセプトは、多くの場合映画や写真の類推にすぎない。

ハイトマップ(Heightmap)
3Dの面の高低をコード化したグレースケール画像。地形図に類似している。3Dエンジンで直接処理できる。

ビルボード(Billboard)
詐欺師(インポスタ)、またはルアーとも呼ばれる。複雑なオブジェクトの外観を真似た、単純な平面像からなる3Dシーンの要素。この技術はとくにユーザーから離れたオブジェクト、例えば森の木などに使われる。

複合現実(Réalité mixte)
拡張現実(AR)をさらに発展させた技術で、専用のMRディスプレイにより現実世界とデジタル要素を融合する。たとえば自分の部屋の形やテーブルなどをデバイスが把握し、仮想世界とぴったり重ねあわせることができる。代表的な例としては、マイクロソフトが開発した「Microsoft HoloLens」がある。

プレハブ(Prefab)
3Dエンジン内であらかじめ定義してつくられたオブジェクトで、何度でも再利用できる。例えば町中の乗り物や、ビデオゲーム内の敵など。

ヘッドアップディスプレイ(HUD)
ユーザーの視線に重ねる表示システム。戦闘機や最近の車に搭載されている。これによって、周囲を広く見渡しつつ情報を得ることができる。

ヘッドマウントディスプレイ(HMD)
ユーザーの頭部に固定するディスプレイシステム全体のことだが、多くの場合VR用ヘッドセットを指す。

ボーン(Bones)
人体または柔軟なオブジェクトの幾何学的構造。3Dモデル[例えば人体の骨格]の変形をコントロールできる。

没入(Immersion)
人工的につくられた世界の中に物理的に存在しているような感覚。ユーザーは自分自身の身体状況を意識しない精神状態になる。没入にはデジタル的に再現された感覚のフィードバック[像、音、皮膚感覚]が必要である。

没入ルーム(Salle immersive)
複数のディスプレイ画面を持つ、バーチャル・リアリティのための部屋。立方体[ケイブ]、長方形、円筒形、球形、ドーナツ型のものがあり、画面の数もさまざまである。

ホロデッキ(Holodeck)
テレビシリーズ『スタートレック』に登場する、背景、オブジェクト、人間をすべてバーチャルで再現できる部屋。ここから、完璧なバーチャル・リアリティの技術としてしばしば挙げられる。

マーカー(Marqueur)
追跡するオブジェクトや背景の要素に付加する視覚的目印。時間経過による追跡や検知を容易にする。例えばオブジェクト上に付ける鮮明な照準点や、カメラが見分けやすい反射する球体などが用いられる。

モーションキャプチャー(Capture de mouvement)
モーキャプとも言われる。外部カメラや利用者が装備したセンサー、あるいはユーザーが操作するオブジェクトによって、ユーザーの動きを割り出す技術。

モデリングソフト(Modeleur)
3Dオブジェクトを[ファセット、彫刻、3Dスキャン等により]モデリングするソフトウェア。それが次に3Dエンジンで使われる。

ライトマップ(Lightmap)
あらかじめ計算した、3Dオブジェクトに当たる光の情報を含むテクスチャー。このテクスチャーの利用でコマごとの再計算を避け、一段とよい性能を確保できる。

リアルタイム(Temps réel)
インタラクティブのアプリケーションで、フィードバックが瞬時になされる応答時間。

立体視法(Stéréoscopie)
2Dの像2枚によって3Dに見せる技術全体。

臨場感(Sentiment de présence)
バーチャル世界にいてもそこで生じる出来事がまさに現実のように感じるユーザーの知覚。この感覚がユーザーにとって本当に存在するという意味において、信憑性のある世界、持続的世界ともいう。

ルアー(Leurre)
→ビルボード参照

レイキャスティング(Ray casting)
ユーザーの手から発するバーチャルな光線で、バーチャル環境内のオブジェクトを選ぶことができる。

レンダリング(Rendu)
デジタルデータをユーザーのために像や音に変換するプロセス。例えば、オブジェクトを3Dで幾何学的に定義することから出発して、リアルな像のピクセルを生成する。

ローポリ(Low poly)
ビデオゲームに適用される3Dモデリングの手法。可能な限り最高の性能を提供するために、使う面(ファセット)を最小限にする。

参考資料

［著作］

►Philippe Fuchs, Guillaume Moreau *et al.*, *Le traité de la réalité virtuelle* (5 volumes), éditions. Presses des Mines, 2006-2009. Volume 1: *L'homme et l'environnement virtuel*, 2006; volume2: L'interfaçage, l'immersion et l'interaction en environnement virtuel, 2006; volume3: *Outils et modèles informatiques des environnements virtuels, 2006; volume 4: Les applications de la réalité virtuelle*, 2006; volume 5: Les humains virtuels, 2009.

►Philippe Fuchs, *Les casques de réalité virtuelle et de jeux vidéo*, éditions Presses des Mines, 2016.

►Philippe Fuchs, *Théorie de la réalité virtuelle. Les véritables usages*, éditions Presses des Mines, 2018.

►Anatole Lécuyer, *Votre cerveau est un super-héros. Quand les nouvelles technologies révèlent nos capacités insoupçonnées*, éditions humenSciences, 2019.

►Laure Leroy, *Diminution de la fatigue visuelle en stéréoscopie*, ISTE éditions, 2016.

►Bruno Arnaldi, Pascal Guitton et Guillaume Moreau, *Réalité virtuelle et réalité augmentée. Mythes et réalités*, ISTE éditions, 2018.

［WEB］

►Histoire de la réalité virtuelle par Jean Segura:
http://www.jeansegura.fr/imag/img/Segura-7e-J-AFRV-31-10-2012g_.pdf

►Association française de la XR:
https://www.afxr.org/page/954386-accueil

►Charte de recommandations sur l'usage de la réalité virtuelle:
https://vr-connection.com/

►Principaux logiciels utilisés en RV:
https://unity.com (moteur de jeu vidéo et de réalité virtuelle facile à prendre en main)
https://assetstore.unity.com (source de scripts, modèles, animations et extensions pour Unity)
https://www.blender.org (modeleur 3D gratuit et performant)
https://www.substance3d.com (divers outils de création de textures, dont Substance Painter)

►Sites proposant textures, environnements et modèles:
https://hdrihaven.com
https://texturehaven.com
https://3dmodelhaven.com

図版出典

3Dエンジンのスクリーンショットやイラストはすべてロマン・ルロンによる。
CAVE™は商標。

►Page 15 : Public Domain ►Pages 19, 21: © DR ►Pages26, 109, 158: ©Jean-Claude Moschetti Heudiasyc CNRS Photothèque ►Pages 32, 68 (l), 95, 218 : © Romain Lelong ►Pages 63-64, 130, 195, 210, 203 : © Romain Lelong, icônes par https://icons8.com ►Page76: © Loïc Fricoteaux ►Page 77: Ce travail a bénéficié d'une aide de l'État gérée par l'Agence nationale de recherche au titre du programme «Investissements d'avenir » portant la référence ANR-11-EQPX-0023 et soutenu par le Fonds européen de développement régional (FEDER) SCV-IrDIVE, © université de Lille/S. Com ►Page 82 (t): ©anael.com/Immersion/ Serre Numérique Valenciennes ►Page82 (b): teamLab Exhibition view of MORI Building DIGITAL ART MUSEUM: teamLab Borderless, 2018, Odaiba, Tokyo ©

teamLab ▶Page 83 : Exposition numérique « Monet, Renoir… Chagall. Voyages en Méditerranée » © Culturespaces/E. Spiller ▶Page 87 (t) : © Benoît Ozell, Polytechnique Montréal ▶Page88: © Haption SA ▶Page93: ©Benoît Rogez 3DVF/Immersion ▶Page 101 : © Diminution de la fatigue visuelle en stéréoscopie, L. Leroy, ISTE, 2016 ▶Page 105 : Hoffman, D.M., Girshick, A.R., Akeley, K. & Banks, M.S. (2008). Vergence– accommodation conflicts hinder visual performance and cause visual fatigue. Journal of Vision, 8(3):33, 1-30, doi:10.1167/8.3.33. ©ARVO ▶Page 115 (t) : Avec l'accord des auteurs, la figure originale de Lederman& Klatzky (1987) a été modifiée et publiée par Oxford Press (Figure5.1) dans Jones, L.A., Lederman, S.J, Human Hand Function (2006) ▶Page 115 (t): © Senmag Robotics ▶Pages 118, 217 (5e figure),230, 234 : © Laval Virtual/Prisma ▶Page 119 : © Dr. Nimesha Ranasinghe, University of Maine ▶Page 124: ©Théo Delalande- Delarbre, Aurélien Delval ▶Page 127: Influence of Being Embodied in an Obese Virtual Body on Shopping Behavior and Products Perception in VR. Front. Robot, doi: 10.3389/frobt.2018.00113. ©2018 Verhulst, Normand, Lombart, Sugimoto and Moreau ▶Page 128 : Domna Banakou, Raphaela Groten, and Mel Slater, Illusory ownership of a virtual child body causes overestimation of object sizes and implicit attitude changes, PNAS July 30, 2013 110 (31) 12846-12851 ▶Page 131 (b): © Jérôme Olive ▶Page 136: ©Raw Data — Developed and Published by Survios, Inc. ▶Page 137 (t): © Beat Games ▶Page 137 (b): © Expérience produite et diffusée par Virtual Room ▶Page 139 : Courtesy of Google ▶Page142: ©The Guardian, ©The Mill, director of project: Carl Addy ▶Page145 (b): © Tilt Brush by Google ▶Page 147 (t): © Rec Room Inc. ▶Page147: © Image courtesy of Facebook ▶Page149: Guided Meditation VR™ © Cubicle Ninjas ▶Page 109 : Projet ANR-16-CE39-003 : Réduire les préjugés à travers l'approche de la cognition incarnée et située : prise en compte du corps et de son contexte– ESPRIT publiés dans Nuel I., Fayant M-P., and Alexopoulos T. (2019). "Science Manipulates the Things and Lives in Them": Reconsidering Approach-Avoidance Operationalization Through a Grounded Cognition Perspective. Front. Psychol. 10:1418. doi: 10.3389/fpsyg.2019.01418 ▶Page 151 (l) : Image par Ari Hollander et Howard Rose ©Hunter Hoffman, www. vrpain.com ▶Page 151®: © Hunter Hoffman, www.vrpain.com ▶Page 152 : © Labster.com Online Science Laboratory Simulator ▶Page153: Overview: a Walk through the Universe ©ICEBERG/ Orbital Views ▶Page157: © Victeams Project et Reviatech SAS ▶Page160: © CMD Gears/ Reviatech SAS ▶Page162: ©R3DT, GmbH, Germany/Allemagne ▶Page166c (c): © Acer Inc. ▶Page166 (b): © Facebook Technologies, LLC. ▶Pages 205-206: ©Romain Lelong/ Maksim Bugrimov ▶Page 214 (t): ©UTC projet étudiant Paul George ▶Pages 214 (b), 217 (2e & 4e figures): © Immersion ▶Page 215 (h): © Masque de réalité mixte Lynx R-1 ▶Page 216: © Mimesys ▶Page 219: © Illucity ▶Page 221: © Vrr0Om Ltd. ▶Page161: ©Inria/ Photo Kaksonen ▶Page 225: © Catherine Pelachaud ▶Page 232: ©Manzalab

[Shutterstock]

▶Page 21 (b) : © Zora Avagyan ▶Page 29 (l) : © djmilic ▶Page 29 ®: © snake3d ▶Page 33 (t): © Andrey Suslov ▶Page 33 (b): © Zyabich ▶Page 35: © Dojo666 ▶Page 42 (t): © vichie81 ▶Page42 (b): © Zapp2Photo ▶Page44: © Matthew Corley ▶Page47: ©Liu zishan ▶Pages 65, 68 (t), 68 (br), 125, 217 (3e figure): © Gorodenkoff ▶Page 67 : © WHYFRAME ▶Page 69 : © RenysView ▶Page 71 : © Creativa Images ▶Page 79: © misszin ▶Page 85: © kentoh ▶Page 87 (b): © Cleomiu ▶Page 92: © Jacob Lund ▶Page95: ©a Sk (casque audio), © Anna_leni (Wand, gant tracking, kit caméras infrarouges, tracking mécanique, lunettes pour projection, CAVE™, casque immersif), © phipatbig (bras haptique), © Carboxylase (projection active), © howcolour (enregistreur binaural), © Anton Shaparenko ▶Page 97 : © Microgen ▶Page 100 : © Designua ▶Page 102: © Peter Hermes Furian ▶Page 103 (t): © Duda Vasilii ▶Page103 (b): © Alexander_DG ▶Page 104 (b): ©FrameStockFootages ▶Page 106: © Anna Shestopalova ▶Page 110: © depaz ▶Page 111: © snapgalleria ▶Page 113: ©logika600 ▶Page 114: ©Billion Photos ▶Page 120 : © MYDAYcontent ▶Page 122 : © yanik88 ▶Page 133: © MONOPOLY919 ▶Page 141: © ARA1129 ▶Page 156: © ismailyurtozveri35 ▶Page 165: © luskiv ▶Page166 (t): AlexLMX ▶Page 211: © westCloud ▶Page 217 (1re & 6efigures): ©insta_photos et © Peshkova ▶Page 223 : © Von Elnur ▶Page 227 : © metamorworks ▶Page 229: ©ArtFamily

[**Wikimedia Commons**]

▶Page 21 (t) : © Piotrus ▶Page 30 : © Evan-Amos ▶Page 31 : © Sergey Galyonkin ▶Page 36 : © Maurizio Pesce ▶Page 40 : © Telstar Logistics ▶Page 73 : © MithrandirMage ▶Page 117 : ©PatrickJ. Lynch, medical illustrator;

索引

あ

い

う

え

お

か

す

せ

そ

た

ち

て

と

な

に

は

ひ

ふ

へ

ほ

ま

み

め

も

ゆ

ら

り

る

れ

ろ

わ

制作協力――――水藤大輔 Daisuke Suito

[著者]

インディラ・トゥーヴェニン ► *Indira Thouvenin*

UTC(コンピエーニュ工科大学)で20年間バーチャル・リアリティについて教えている。CNRS(フランス国立科学研究センター)とユディジアック研究所の共同研究ユニットでの研究活動も続け、バーチャル環境で適応・発展が可能なインタラクションについて研究している。またAFRV(フランスバーチャル・リアリティ・拡張・複合現実・インタラクション協会)の会長を4年にわたって務めており、ルヴィアティック社の共同創立者でもある。

ロマン・ルロン ► *Romain Lelong*

ルヴィアテック社の共同創立者のひとりで、ゼネラルディレクター。コンピエーニュ工科大学のコンピュータ技師研修を受け、次いで修士課程で像と音の関係について取り組む。2008年以降はバーチャル・リアリティの産業用プロジェクトを数多く実現し、大学や研究センターの協力を得て、また自ら海軍兵学校の教育に携わって、常に進化を続けるこの分野の最新技術の成果を導入している。

[日本版監修者]

塚田学 ► *Manabu Tsukada*

東京大学大学院情報理工学系研究科准教授。2007年よりフランス・パリ国立高等鉱業学校 (Mines ParisTech) ロボット工学センター博士課程在籍および、フランス国立情報学自動制御研究所(Inria)にて研究員として勤務。2011年博士号取得。2014年よりWIDEプロジェクトのボードメンバー、およびSoftware Defined Media(SDM)コンソーシアム・チェア。自動運転のネットワーク通信、インターネット映像音声に取り組む。

[用語監修者]

水野拓宏 ► *Takuhiro Mizuno*

芝浦工業大学システム工学部電子情報システム学科卒。株式会社ドワンゴで数々のゲームタイトルのネットワーク設計・システム設計を担当。2006年、独立行政法人情報処理推進機構より天才プログラマー／スーパークリエータに認定される。現在、VR/ARに関する技術開発やプラットフォーム事業を行う株式会社アルファコード代表取締役社長CEO。

[訳者]

大塚宏子 ► *Hiroko Otsuka*

学習院大学文学部フランス文学科卒業。翻訳家。主な訳書に、ジャック・アタリ『図説「愛」の歴史』、シリル・P. クタンセ『ヴィジュアル版 海から見た世界史: 海洋国家の地政学』、イヴ・ラコスト『〈ヴィジュアル版〉ラルース　地図で見る国際関係: 現代の地政学』などがある。

La réalité virtuelle démystifiée
by Indira Thouvenin & Romain Lelong

Original French title: *La réalité virtuelle démystifiée*

［ビジュアル版］
バーチャル・リアリティ百科
進化するVRの現在と可能性

2021年10月30日　初版第1刷発行

著者――インディラ・トゥーヴェニン＋ロマン・ルロン
日本版監修者――塚田学
用語監修者――水野拓宏
訳者――大塚宏子

発行者――成瀬雅人
発行所――株式会社原書房
〒160-0022 東京都新宿区新宿1-25-13
電話・代表 03(3354)0685
http://www.harashobo.co.jp
振替・00150-6-151594
ブックデザイン――小沼宏之［Gibbon］
印刷――シナノ印刷株式会社
製本――東京美術紙工協業組合

ISBN978-4-562-05959-1
Printed in Japan